間取りの学校

岸 未希亜
Kishi Mikia

SCHOOL FOR LEARNING HOUSE LAYOUT

X-Knowledge

まえがき

　住まいは私たちにとって必要不可欠なもので、その間取りは誰にとっても身近なもの。誰もが多かれ少なかれ関心を持っているはずです。家づくりを始める時、多くの方はまず情報収集を行うと思いますが、最近はYou Tube、Instagram、TikTokなどから手軽に情報を集められるので、こちらが驚くほど知識量の多い方も見られます。ただ、間取りに関しては手軽に集めた情報だけでつくるのは難しいと思います。今のところ「よい間取りの真似をする」ことぐらいしかできないのではないでしょうか。

　一方で設計者にとっても「住宅の間取り」を具体的に教えてもらう機会というのは限られます。むしろ滅多にないといったほうがよいかもしれません。専門学校では間取りの授業もあるかもしれませんが、四年制大学の建築学科では、住宅作家と呼ばれる建築家が教授や講師を務めていない限り、まず行われないでしょう。実務は社会人になってから学ぶものとはいえ、就職先に手本になる先輩や上司がいなければ、下手なコーチに間取りを教わるようなものです。そのため最近では、建築家を講師にした設計セミナーも数多く行われていると思います。

　私はといえば、幸せなことに「間取りの達人」に師事することができました。2015年に亡くなられた、故・吉田桂二さんです。桂二さんは町並み保存への取り組みと、伝統的な手法を用いながら美しい日本の家を設計する建築家でした。住宅に関する多くの書籍や講演会を通じて、積極的に間取りや家づくりの考え方を発信していて、プロアマ問わず多くのファンがいたと思います。師から学び、受け継ぐべきものと考えているのが、「日本の家」としての風土性と普遍性です。住宅は本来、風土や地域性を無視して建てることはできないもの。個人の趣味嗜好でつくるべきものではなく、まして日本全国で画一的につくるものでもありません。

　本書は、そうした設計思想を根底にした間取りの解説書になっています。最初に書いたのは、師匠の元を離れて8年後の2017年のこと。地域工務店に身を置き、90棟以上の住宅を設計する機会を得て、理論は確固たるものになりました。それから7年が経ち、コロナ禍以降のライフスタイルの変化も踏まえて、内容を一部改訂しました。教科書としての完成度は、より一層高まったと思います。

まえがき……………………………………………………………002

第1章 間取りの前に準備すべきこと………005

01 プロの間取りと素人の間取り…………………………006
02 敷地の優等生と劣等生…………………………………007
03 建物配置は道路によって変わる………………………013
04 面積と周囲の状況で建物形状は変わる………………017
05 法規制で気を付けること………………………………021
06 特別な魅力のある敷地…………………………………026
07 建築費を定めてから土地を探す………………………031
08 建築費を決める6大要素………………………………032
09 概算と積算の誤差を小さく……………………………035
10 プランニング前に家の大きさを決める………………037
11 要望を整理する…………………………………………041
12 家族が集まる場所と過ごし方…………………………044
13 親子の接点のつくり方…………………………………051
14 家事の仕方、こだわりを確認…………………………055
15 物の量を把握する………………………………………059

第2章 間取りの基本ルール………063

01 間取りを考える前に知っておきたいこと……………064
02 玄関の広さは2〜3帖…………………………………065
03 リビング・ダイニングの広さはスタイル次第………068
04 キッチンの広さは5帖が基準…………………………072
05 和室の広さは用途によって変える……………………080
06 寝室の広さはベッド派と布団派で異なる……………082
07 子供室の広さは4帖半が基準…………………………084
08 洗面室・浴室・トイレはユニットで考える…………088
09 階段の心得………………………………………………094
10 吹抜けは開ける場所と大きさが大事…………………101
11 廊下をなくす工夫………………………………………103
12 間仕切りは引戸で………………………………………105

13 間取りの基準は3尺グリッド･････････････････109

14 1間グリッドに則ってプランニング･････････････111

15 1尺5寸に刻んで間取り上手に･･････････････････113

第3章 間取りと一緒に考えること･･･････････115

01 間取りだけを考えても十分ではない････････････116

02 階高を抑えるとよいことづくめ･･･････････････117

03 2階の形を単純にして端正な屋根にする････････120

04 開口部の考え方･･･････････････････････････････123

05 屋根は「切妻」だけで勝負する･････････････････126

06 小屋組と間取りの関係･････････････････････････129

07 屋根についての原則･･･････････････････････････133

08 高さ関係を把握する･･･････････････････････････137

09 床組と1階天井の関係性･･････････････････････141

10 小屋組と2階天井の関係性･･･････････････････145

第4章 平屋と2階建ての間取り････････････151

01 基本は平屋と総2階の家･･････････････････････152

02 平屋の長所･････････････････････････････････････153

03 平屋の短所･････････････････････････････････････155

04 平屋の間取りと屋根･･･････････････････････････159

05 2階建て住宅の構造･･････････････････････････166

06 総2階の家･････････････････････････････････････168

07 2階リビング（逆転プラン）の家･････････････178

08 2階の間取り･･･････････････････････････････････188

09 2階直下の間取りを考える･･･････････････････193

10 下屋を加えていく････････････････････････････197

11 下屋の屋根の注意点･････････････････････････203

あとがき・プロフィール･･････････････････････････207

奥付･･208

デザイン：マツダオフィス／**DTP**：シンプル／**印刷**：シナノ図書印刷

本書は2018年発売の書籍『最高にわかりやすい住宅の間取り教室』を
2025年現在の住宅事情に合わせて加筆・修正・再構成したものです。

第 1 章

間取りの前に
準備すべきこと

01

プロの間取りと素人の間取り

「間取り」と言うと、素人でも描くことのできる「ラフプラン程度のもの」と思われがちですが、「間取り」もれっきとした設計行為です。では、「素人の間取り」あるいは「初心者の間取り」と、「プロの間取り」はどこが違うのでしょうか。

まず、初心者（特にそれが施主本人の場合）は、要望が先に立ってしまうので、欲しいもの、欲しい部屋を積み上げていき、家がどんどん膨らんで大きくなります。そのため、施主から「40坪の家」と言われたら、1割引いた36坪でも足りる可能性が多々あります。そもそも家の大きさは、敷地と予算によって決まってしまう面が大きいため、希望通りという訳にもいきません。

敷地について言えば、敷地面積や容積率ぐらいは初心者でも把握していて、この敷地には〇〇坪までの家が建てられることを知っていますが、カーポート、庭、建物周囲の空きスペースを考慮すると、そんなにいっぱいまで使えないこともあるのです。さらに敷地から得られる情報は沢山あり、施主の要望以上に、建物や間取りの決定要因になることも少なくありません。

そんな訳で、まずは間取りを始める前の準備から見ていきます。最初に、敷地の見方や注意点、建物配置や建物形状のセオリーといった敷地に関する内容。次に、建築費についての概略と家の大きさについて。最後は、間取りをつくるために必要な、要望の聞き取り方についてです。

02

敷地の優等生と劣等生

　既存家屋を建て替える場合は、敷地を替えることができないので、その敷地と向き合うしかありません。逆に住環境や近隣との付き合い、自動車の騒音や敷地に吹く風の流れなどの情報は、昔からそこに住んでいればこそ分かる大きな利点です。

　一方、土地を新たに購入する場合は、少しでもよい条件を求めたいものですが、優等生の土地はそれが価格にも反映します。好条件の例として、広い、矩形（四角形）、南道路（日当りがよい）、角地、道路が広い、地盤が固い、風通しがよい、眺めがよい、駅に近い、静かな住宅地など、挙げればきりがありません。しかし、建て主が支払う総額は、土地価格と建物価格の合計なので、土地にお金をかけ過ぎてしまうと、家にかけられる予算が大きく削られてしまいます。土地の条件については、どこかで割り切ることも必要です。

　ただし劣等生の敷地にも、お金のかかる敷地とそうでない敷地がある点は注意が必要です。避けたい敷地の代表格は、高低差2m以上の古い擁壁がある敷地です。安全性の確認できない擁壁は、造り直せば多額の費用がかかり、残せば建物配置と基礎の構造に影響を及ぼします。地盤の悪い敷地も、改良工事で余分な費用がかかります。また、高低差の大きな敷地や傾斜地などは、高低差を利用した設計の工夫で魅力ある住宅にすることも可能ですが、総じて建築費は割高になります。

1m以上の高低差がある敷地

三角に近い台形の敷地

第1章　間取りの前に準備すべきこと　　007

01. 優等生の敷地
（東南角地、矩形、RC擁壁、向かい側に家がない）

東道路と敷地に高低差がありますが、比較的新しいRC擁壁があるので、計画上の問題はありません

東道路は車の往来がありますが、前面道路は通過交通が少なく安心です。幅員も6mあるので、日当たりも申し分ありません

敷地面積は広くありませんが、南と東で接道する角地なので、日当りの面ではベストに近い敷地です

既存CB化粧塀 H=1,200
既存CB（2段〜5段）＋フェンス H=800
U字型側溝
開発による既存RC擁壁
擁壁天端
U字型側溝 11,190
道路

東道路は坂道で歩行者と視線が合わず、道路の反対側がさらに一段低い畑なので、視界が開ける点も長所です

東京都町田市
敷地165.51㎡
1種低層・1種高度斜線
敷地図（S＝1：400）

02. 優等生の敷地
（道路・区画が広い、平坦、矩形、角地）

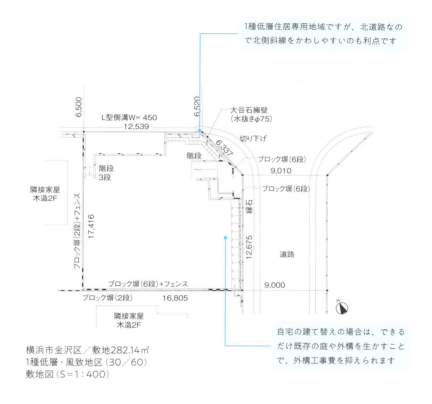

横浜市金沢区／敷地282.14㎡
1種低層・風致地区（30／60）
敷地図（S＝1：400）

碁盤目状に道路が走り、家の前は歩道もある広い道路です。一つひとつの区画が大きく、ゆとりのある住宅地です

北と東で接道する角地なので開放感があり、道路が広いのでよく目立ちます

03. 劣等生の敷地
（道路4m以下、狭小地、住宅密集）

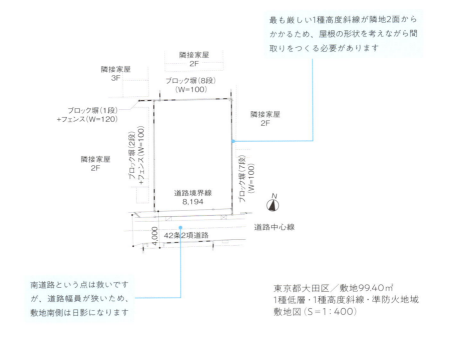

最も厳しい1種高度斜線が隣地2面から
かかるため、屋根の形状を考えながら間
取りをつくる必要があります

南道路という点は救いですが、道路幅員が狭いため、敷地南側は日影になります

東京都大田区／敷地99.40㎡
1種低層・1種高度斜線・準防火地域
敷地図（S＝1：400）

敷地が狭く、周囲を家で取り囲まれています

道路幅員が3mしかないため、敷地のセットバックが必要です。反対側の家が目の前に建っている感じです

04. 劣等生の敷地
（道路4m以下、3階建て可能、隣地不確定）

道路だけでなく、通りから入って来るとば口が狭く、大きな車が入れません。車を使う人にはストレスフルな環境です

大きな家が壊され、土地の一部だけ販売された敷地です。南西側に2階建ての家があり、その旗竿部分が隣地になっている点は僅かな救いです

神奈川県鎌倉市
敷地127.78㎡／
1種中高層・
準防火地域・埋蔵文化財
敷地図（S＝1：400）

北西側隣地に3階建ての家が並び、圧迫感があります。道路も狭く、セットバックして販売されました

3階建てが可能な地域で、南側に将来どんな家が建つか分からない、日当りに関して不安要素の多い状況です

第1章　間取りの前に準備すべきこと　011

05. 避けたい敷地
（2m以上の古い擁壁、車庫なし）

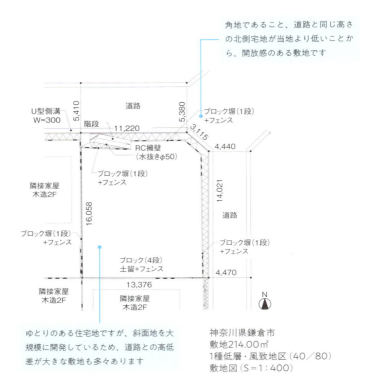

角地であること、道路と同じ高さの北側宅地が当地より低いことから、開放感のある敷地です

ゆとりのある住宅地ですが、斜面地を大規模に開発しているため、道路との高低差が大きな敷地も多々あります

神奈川県鎌倉市
敷地214.00㎡
1種低層・風致地区（40／80）
敷地図（S＝1：400）

2m以上の古い擁壁がありますが、宅造法の許可がありました。安全性を確認できない場合は、余分な費用がかかります

宅盤に上がる階段のみで駐車スペースがないため、カーポートをつくる外構工事の費用もかさみます

03

建物配置は道路によって変わる

　敷地と道路の関係も、設計前に抑えておくポイントです。たいてい敷地には、家、車、庭の3つを配置しますが、日当たりを確保するため、家を敷地の北側に寄せるのが大原則です。道路側に車を置き、南側に庭をつくるのも基本ですが、東西南北のどっちに道路があるかによって、これらの配置が微妙に変わります。

　南道路の敷地は、隣家の影響を受けずに日当りが確保できるので、恵まれた条件と言えます。家は北側に寄せて配置し、車は直角駐車にして東西どちらかに寄せます。敷地が東西に広ければ、建物の正面に車を置かないようにできますが、逆に東西に狭い場合は、家の前にカーポートを設けることになるので、間取りにも影響が出ますし、

01. 南道路の敷地

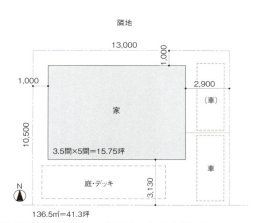

間口（東西幅）が狭く奥行き（南北幅）が深い場合は、家の前に置かれる車が室内から見えないように注意しましょう。間口が広い敷地は、建物の幅から外して縦に2台分のカーポートを取ることもできます。いずれにしても南道路の敷地は、庭や外構が目立つので、外構工事の予算を多めに確保しましょう

庭や外構との繋がりを上手に計画したいところです。

　北道路の敷地は、北側斜線が楽になるのは利点ですが、南側に家が迫っていることが多いので、敷地が狭いと日当りの悪さは避けられません。したがって東西に長い敷地よりは、南北に長い敷地のほうが自力で日当りを確保できます。また、東西に長い（接道が長い）敷地では車を直角駐車にして、建物は車を避けて北側に寄せられます。逆に間口が狭い場合は、道路に平行な縦列駐車にするか、建物の1階に車庫を組み込む形になります。

　東道路／西道路の敷地は、南側に家が迫り、北側斜線の影響もまともに受けるので、最も条件が悪いと言えます。北側道路の場合と同じく、東西に長いよりは南北に長いほうが日当りは得やすいのですが、現実的には間口が狭い（東西に長い）敷地が多いでしょう。特に狭小地では、南側を広く空けることは諦めて、道路側を空けることで採光や開放感を得るしかありません。車は原則として直角駐車ですが、敷地の形と建物形状によって置き方が変わります。縦列駐車で車と庭を明確に分けることもあれば、日照・採光のために空けた南側にしか、車を置く場所が取れない狭い敷地もあります。

北道路で直角駐車するため建物を雁行させています

02. 北道路の敷地

［縦列駐車で建物を北寄せ］　　　　　　　　［車を建物下に入れて北寄せ］

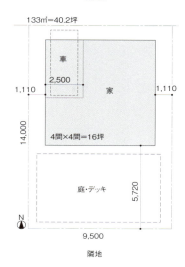

［東西に長い場合、車は建物の横］

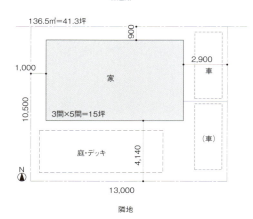

間口（東西幅）が狭い場合は、カーポートの取り方が難しく、奥行き（南北幅）が浅い場合は、日当りの確保が難しいのが北道路の特徴です。庭が道路から覗かれない代わりに、隣家からの視線を遮る工夫が必要です。北側の外構が殺風景になりがちな点も要注意です。

第1章　間取りの前に準備すべきこと　015

03. 東西道路の敷地

[建物は北、車と庭は南]　　　　　　　　　　　　[建物を細くして南を空ける]

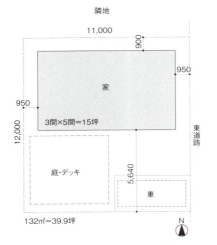
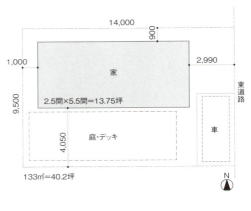

広さに余裕があれば、建物を北に寄せて南を少しでも空けることと、車を直角駐車にするのが基本の配置です。しかし市街地では、間口（南北幅）が狭くて奥行き（東西幅）の深い敷地が多く、面積に余裕もないので、日当りの確保が最大の課題です

[道路側に車と庭を配置]　　　　　　　　　　　　[建物をL型にして南も空ける]

セオリーが通じない場合は、1階の日照・採光を諦めて逆転プラン（2階リビング）にしたり、南からの日照・採光を諦めて道路側に開くなど、設計の工夫が必要になります。建物をL字型や雁行型にして、日照・採光にメリハリを付ける方法は、次の項で詳しく述べます

04

面積と周囲の状況で建物形状は変わる

都心部であれば、敷地面積が60坪以上あるような整備された住宅地。地方であればもっと広い敷地が当たり前なので、まったく考える必要もありませんが、敷地面積が狭い場合には、家の平面形状にも工夫が必要です。

南北の奥行きが短い敷地では、家を最も単純な矩形（四角形）にした場合、南側に十分な奥行きの庭が取れません。南道路であれば、それでも日当りは確保できますが、北・東・西道路の場合は1階に日が当たらない状況が考えられます。

この場合の解決方法の一つが、逆転プランです。敷地の南側に十分な庭が取れない状況でも、日照・採光が期待できる2階にリビングを持ってくる合理的な間取りです。建物形状は矩形のままでも問題ありません。逆転プランについては、4章で詳しくお話しします。

その他には、建物をL字型平面にする解決方法があります。L字の先端部分は南隣家の陰に入ってしまいますが、後ろに下がった部分は南側に十分な庭が取れ、日当たりも確保できます。2面の壁で庭を囲む形になるので、建物と庭との繋がりも強まります

し、住宅密集地ではプライバシーを高められる形状でもあります。

敷地が細長い場合には、3面の壁で中庭を囲む「コの字」型平面も効果的です。中庭型、町家型とも呼ばれ、比較的大きな家の場合に採用します。中庭をつくることで風の通り道が生まれ、直射日光が入らなくても、外壁に光が反射して採光も得られます。室内空間が分断され、特につなぎの部分は細くなってしまうため、間取りに制約が生じる難点はありますが、中庭を室内空間の延長に見立てることができます。南北に細長い敷地で「コの字」型を採用する場合は、中庭の南側に2階建てがあると、北側の1階が日影になってしまうため、南側部分を平屋にする必要があります。一方が低いと風も抜けやすく、正に「町家」の知恵を生かした造りで、住宅密集地でも採光、通風、プライバシーを確保しやすい形です。

第1章　間取りの前に準備すべきこと　017

冬至と厳冬期の日当たり

◎冬至（12月22日前後）
隣家の軒高を6mとすれば影の長さは約10mで、1階はほぼ日影になる

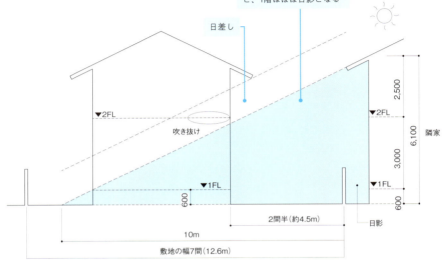

◎厳冬期（2月4日前後）
隣家の軒高を6mとすれば影の長さは約7.8m。吹抜があれば1階にも日当りが望める

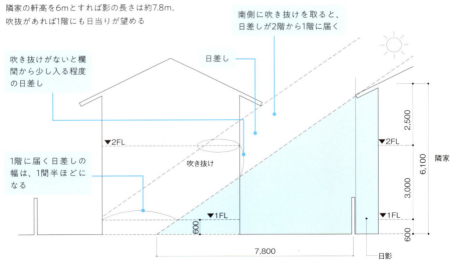

01. 矩形平面は1階が影になる

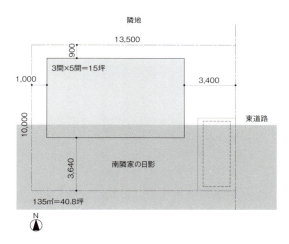

02. L字型平面で採光にメリハリをつける

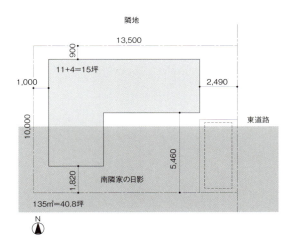

03. 敷地が細長い時はコの字型平面

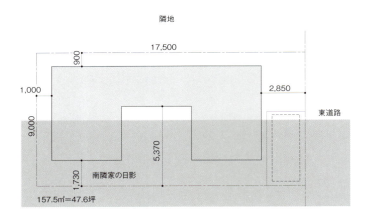

04. 南北に長い時は南側を平屋に
[南側を平屋にしたコの字型平面]

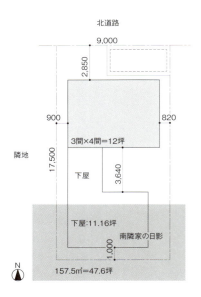

05

法規制で気を付けること

この項目も、地方の広い敷地ではあまり気にしなくてよい内容ですが、家が建て混んだ市街地の住宅地では切実な課題になります。

建物形状に最も影響するのが「北側斜線」です。第一種低層住居専用地域では、隣地の居住環境を守るために高さ5mから1.0対1.25の北側斜線が設定されています。これにより、建物配置、軒高、軒の出が制限されるので、建物の高さを抑えない限り、敷地の北側に建物を寄せて軒を出すことはできません。都市部では高さ5mから1.0対0.6という、さらに厳しい北側斜線（一種高度斜線）もあり、こうした敷地では建物を北側に寄せるために、屋根を切ってしまう住宅も多く見られます。「軒のない家」がよいと思ったことはありませんが、「都市」という特殊な環境の中では致し方ないのかもしれません。

建ぺい率や容積率も、敷地が狭いと切実です。容積率いっぱいの住宅を造った場合、玄関ポーチやバルコニーが建ぺい率オーバーを招くこともあります。バルコニーの床をスノコ状にすることで建築面積に含まれなくなりますが、過度に大きなバルコニーを造る

人たちがいて目に余るため、条例でそれらを制限する自治体もあります。また、開放性のないバルコニーは床面積に含まれるため、容積率オーバーにも注意が必要です。

準防火地域ということで、間取りが大きな影響を受けることはありませんが、「延焼ライン」の内側に窓を設けるように努めることがあります。

理由の1つは、木製窓や全開サッシを使う場合です。リビング・ダイニングのメイン開口は1階南面になることが多いので、延焼ラインはかわしやすいのですが、東西からの離れは考慮する必要があります。もう1つの理由は防火仕様のサッシの金額が高いことです。狭小地ではどうすることもできませんが、敷地に余裕があれば建物配置を数10cmずらしたり、窓の配置を1グリッド（3尺／6尺）ずらすことも検討の余地があります。また、耐熱ガラスの引き違い窓（防火仕様）よりも、透明ガラスのシャッター付き引き違い窓（防火仕様）の方が低価格のため、シャッターサッシを使う場面も出てきます。住宅には似つかわしくない無骨なシャッターとの付き合い方も、設計の課題だと感じます。

第1章　間取りの前に準備すべきこと　021

01. 北側斜線を避けた「軒のある家」

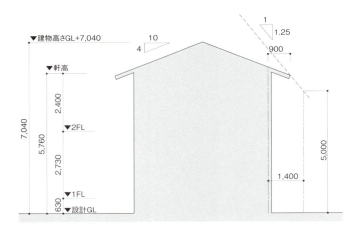

階高を抑えて軒高を5,760mmにした家でも、軒を3尺（900mm）出すと、北側隣地境界から1,400mm離す必要があります。軒高を5,500mmに抑えれば、離れは1,200mmまで縮められますが、この家のように北側に下屋を設けて、2階屋根を隣地境界から離すことが効果的です

02. 一種高度斜線を避けた「軒のある家」

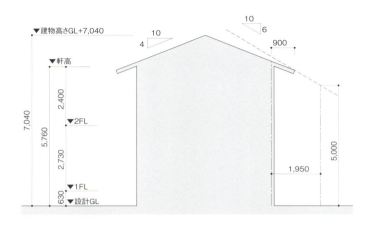

軒高を5,760㎜に抑えた家でも、軒を3尺（900㎜）出すと、北側隣地境界から1,950㎜も離さなければなりません。軒高5,500㎜ならば離れは1,550㎜、軒高を5,400㎜まで抑えれば、離れは1,350㎜となりますが、現実的には北側だけ軒を短くする応急処置も止むを得ません

03. 北側斜線を避けた「軒のない家」

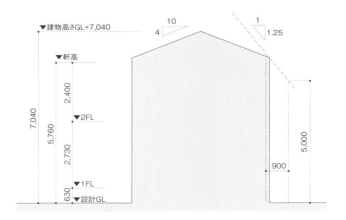

軒が出ていない家は、軒高を5,760mmに抑えただけで、標準的な離れ（900mm）で済んでしまいます。軒高を6,000mmに上げても、境界からの離れは1,100mmで済みます。斜線制限に関しては、残念ながら「軒のない家」が有利です

04. 道路斜線と屋根の関係

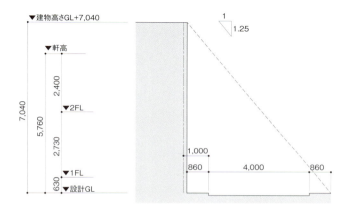

屋根の軒やケラバがない家は、2階建てであれば道路斜線と無縁です。一方、切妻屋根で妻入りの場合、棟付近でケラバが道路斜線に当たる可能性があります

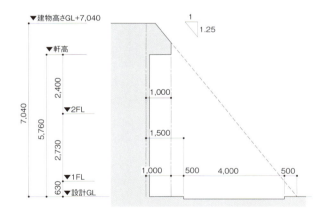

棟付近だけ屋根を三角に折っている家がありますが、できれば避けたい姿です。方位が斜めに振れていて、側面から北側斜線がかかる場合も同様です

06

特別な魅力のある敷地

　ここまでの4項目については、敷地図や調査報告書などの資料を見ただけでも読み取ることができますが、実際に敷地に行かなければ分からないことがあります。それは敷地に立った時の感覚です。敷地から見える景色はもちろん、隣家の窓や道路の人通りなど、周囲からの視線も気になります。それらを鑑み、まずは敷地のどこがベストポジションかを見つけることです。こっちを背にしてこっちを見る、こっちは壁で視線を遮るなどのイメージができれば、間取りをする上での大きな手掛かりになります。

　山や海といった自然を独り占めできるような敷地は滅多にありませんが、公園やお寺の境内、川や街路樹といった身近な自然が敷地から見えるなら、これを活かさない手はありません。隣家の庭や木々をそっと借景するのも悪くないでしょう。

　逆に、道路や隣地から建物がどう見えるかをイメージすることも大切です。周りの家がバラバラな形・デザインだったら「手掛かり」は見つかりませんが、統一感のある町並みや住宅街の中で自己主張するような家を建てるのはいかがなものかと思います。周囲に調和しながら、凛とした佇まいの家を建てることが理想と言えるでしょう。

01. 河川沿いや近隣の緑を眺められる敷地　世田谷A邸｜平面図（S＝1:200）

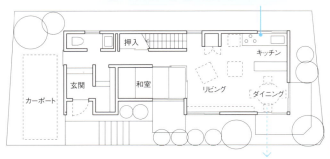

室内から河川沿いの緑が眺められるように、1・2階とも、西面の開口部を南端に設けています

02. 北側に実家の農地が広がる敷地　伊勢原K邸｜平面図（S＝1:200）

広いリビングは日当りのよい南側、ダイニングとキッチンは北側に配し、変わらない静かな景色を眺めます

前面は車通りの多い道ですが、敷地が道路より一段高く、道を挟んだ南側にも畑が広がるため、車や人の往来が気になりません

実家の農地を転用した敷地で、北側に休耕地が広がります

2階は、4枚引違い窓を入れたホビースペースから、北側の景色がパノラマに広がります

第1章　間取りの前に準備すべきこと　027

03. 街路樹や緑地のある歩道に面した敷地　浜松M邸｜平面図（S＝1：200）

普段使いの少ない座敷を西側に配し、障子を開けると街路樹が借景できる間取りになっています

緑が多いとは言え、歩道は人の視線も気になるので、リビングやダイニングは歩道に面して設けていません

広い歩道が整備された新しい住宅街で、街路樹や植栽が目に入ります

座敷の窓から歩道の緑地や街路樹を借景しています。出隅を開口部にすることで、内と外の1体感が強まっています

04. 眺望が得られる高台の敷地　鎌倉Y邸｜平面図（S=1:200）

2階からの眺望には敵いませんが、リビングやデッキからも景色を望むことができます

最も眺望のよい2階南側に、ご主人の書斎を設けました。1階からの眺めもよいので、LDKは素直に1階にしています

背後に山を背負った高台の敷地で、東南方向に視界が広がります

仕事に使用する6帖の書斎に横長の窓を設け、木々が生い茂る東南の山を借景しています

第1章　間取りの前に準備すべきこと　029

05. 眼下に海と海岸線が見える山間の斜面地　箱根F邸｜平面図（S＝1:150）

眺望のよい東を向きながら、南からの日当りもほしいことと、造成費用を最小限に抑える目的から「くの字」型の間取りにしました

道路から下がる斜面地のため、2階に玄関やLDKを設けています。リビングからはもちろん、浴室からの眺望も最高です

東下がりの斜面地です。建築前は樹齢60年余りの桧林で、それらを伐採・乾燥・製材して土台や柱に使いました

建物が斜めに折れる角の柱を挟んで開口部を設けているため、リビングからの景色がパノラマ状に広がります

07

建築費を定めてから土地を探す

　親から土地をもらう人、建て替えの人などは関係ありませんが、土地の購入も併せて行う人にとっては重要なポイントです。たとえば、総予算6,000万円の人が土地に4,000万円を費やしてしまったら、建築費は2,000万円しか残りません。地方に住む人にとっては信じがたい金額ですが、都市部では建物より土地にお金がかかります。そのためには、これから建てる家の建築費を把握しておかなければなりません。

　面積、仕様、デザイン、施工力などの中で何を重視し、何を妥協するかを考え、建築予算を固めておくことが第一歩です。総予算から建築予算を差し引いた金額で土地を探すことができれば、建物にしわ寄せが行くことがなく、理想的です。仮に希望する土地が想定よりも100万円高かった場合、建物のどこを削れば100万円抑えられるかまでイメージできるとよいでしょう。

　さらに一歩踏み込んで、設計や施工を依頼する会社を決めてから土地探しをするのもお勧めです。建て主はどのような家が建つかを、敷地を見ただけで想像することはできませんが、土地の購入に際しても、プロの視点からアドバイスを受けられるためです。

01. 地価の高い小さな土地に、小さな家しか建てられない

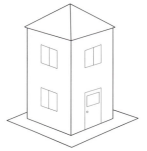

人気の私鉄沿線、通勤通学に便利な町、駅から近いなど、条件がよくなれば土地の価格も上がります。便利さも大事ですが、暮らしを包む豊かな空間はもっと大切です

02. 土地に予算を使い過ぎて、家に予算が回らない

建築予算の大半を土地に使ってしまったらどうなるでしょう？地価の高い土地、あるいは広い土地に、安っぽい家を建てて暮らすのは、笑い話にもなりません

03. 理想の家に合う土地を探す

これは一般的とは言えませんが、自分にとっての「理想の家」をしっかり考えて、それが建てられる土地を探す、という順序も悪くないと思います

第1章　間取りの前に準備すべきこと　031

08

建築費を決める6大要素

　建築費は安ければ安いほどよいと思っていませんか？　答えは否です。よい家を建てるためには、それなりの予算をかけなければならない、と知っておいてください。その建築費を左右する要素は、およそ次の6つに絞られると思います。①面積、②性能、③素材、④デザイン、⑤施工力、⑥施工会社の経営力です。

　最も分かりやすいのは「面積」です。建築費は家の大きさに比例して高くなります。

　「性能」にも幾つかありますが、断熱性を始めとした「快適性」がこれに当

01. 面積

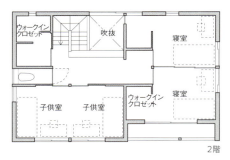

2階

2階

1階

1階

基礎、木材、屋根、内外装といった目に見えるものから仮設工事や残土処分に至るまで、建築費は家の面積に比例します

たります。屋根・壁・開口部の断熱性を高めることで快適さが増し、それに伴って建築費も上昇します。この「性能」は数値化されるようになってきて、分かりやすい指標になっています。
「素材」も分かりやすい要素です。合板よりも無垢材が高く、ビニルクロスよりも左官仕上げのほうが高いなど、単価の違いによって建築費も上下します。見積りが高くなった場合、この「素材」を変えることで金額を下げる例が多いですが、あくまで6分の1の要素です。

「デザイン」は一見すると建築費と関係が無いように見えますが、変わったデザイン、特殊な寸法、難しい納まりなどがコストアップの要因です。そしてよいデザインには、それに伴う設計料も発生するので、やはり建築費への影響は少なくありません。

「施工力」とは職人たちの技術力の総体です。これに加えて現場監督の力も

02. 性能

断熱材の種類や厚さを変え、サッシの種類を変えることで断熱性能は高くなります。構造的には基礎を頑丈にしたり、湿気に強い国産材や強度の高い木材を使うことで価格的にも差がでます。耐震性能を高めることで、施工手間も増えます

03. 素材

素人でも分かりやすいのは素材です。構造材、屋根、外壁に始まり、内装の床材、壁材、天井材など、質のよいもの、身体に安心な素材を使えば金額は高くなります。いわゆる自然素材と新建材を比べるのが分かりやすいでしょう

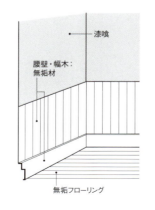
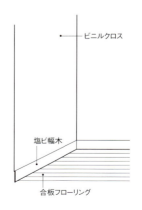

第1章　間取りの前に準備すべきこと　033

同じくらい重要です。簡単な仕事は技術のない職人や監督でもできますが、複雑な仕事や丁寧な仕事のできる職人を使えば、確実によい出来上がりになります。その反面、人件費が高くなるので建築費も上がります。

「施工会社の経営力」とは、すなわち倒産リスクです。メンテナンスはもちろん、将来も家守りをしてほしいですし、少なくとも工事中に倒産されてしまったら大問題です。そうした理由で大手ハウスメーカーは安心かもしれませんが、規模が大きく、広告宣伝費や営業マンの人件費が高いこともあり、金額アップは必然です。逆に受注優先で利益を削り過ぎると、健全な会社経営ができませんので、実情に合わない安い見積りにも注意は必要です。

04. デザイン

カッコ悪い家で暮らすより、カッコイイ家に住みたいのは当然だと思います。しかし、カッコイイ家は得てしてお金がかかります。カッコよくて無闇にお金のかからないデザインを考えることも大切です

05. 施工力

工務店や建築会社にとって、施工力が第1だと思います。図面通りに造る力、現場でよりよく修正する力がないと、よい家は生まれません。性能や素材は明日からでも変えられますが、施工力は一朝一石には変わりません

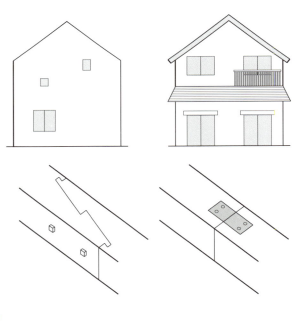

06. 施工会社の経営力

会社経営の話は、いささか範囲を超えていますが、建築費の話とは切っても切れない関係です。家族経営なら経費は小さく、宣伝をして大規模に展開すれば経費はかかります。実態に合わない無理な経営は危険です

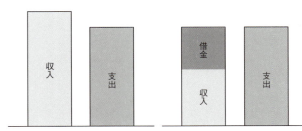

09

概算と積算の誤差を小さく

建築費の概算を求める際によく使われるのが「坪単価」です。建築費は本体工事費、設備工事費、外構工事費、設計監理費、諸経費などに分かれますが、どこまで含めるかによって「坪単価」はまるで異なります。したがって「坪単価」が独り歩きすると、指標としては役に立ちません。そしてこの坪単価を決める要因が前項の②～⑥になります。「性能」の優劣、「素材」の違い、「デザイン」のこだわり具合、「施工レベル」の優劣、「施工会社の利益」が多いのか、少ないのか、適正なのか。

設計事務所の場合は選択肢に幅があるので、このバランスを調整して設計することになりますが、一般的に「デザイン」「施工力」の比重が高く、「性

01. 坪単価のイメージ

建築本体工事と言っても、木材、サッシ、仕上材などのグレードが低く設定されていれば、第一印象で金額を安く見せられます。しかし設計を進めていくと追加が増え、最終的には数百万円も高くなった話を耳にします

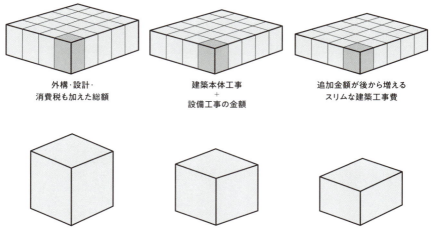

外構・設計・消費税も加えた総額 / 建築本体工事＋設備工事の金額 / 追加金額が後から増えるスリムな建築工事費

坪単価120万円（3,600万円÷30坪）　坪単価90万円（2,700万円÷30坪）　坪単価70万円（2,100万円÷30坪）

第1章　間取りの前に準備すべきこと　035

能」「素材」の比重は低い傾向にあります。またコストマネジメントが弱いと、初めの概算と設計後の積算が大幅に乖離することがあるので要注意です。

　自社設計をする施工会社は、②〜⑥の配分を考えて各社で標準仕様を決めていることが多いため、会社選びがすなわち坪単価を決めることになります。性能を重視する会社、素材感を重視する会社、デザイン重視の会社、技術力の高い会社、安心して任せられる会社、低価格を売りにする会社など、会社の特徴と坪単価は、それらのバランスをどこに置くかで決まってきます。

02. 1人の建築家が施主ごとに異なる家を設計する

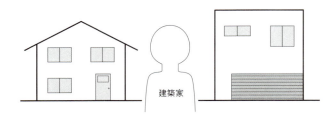

作風が決まっている建築家を除き、建て主の希望に合わせて、1軒1軒違った家を設計することができます。性能や素材を変えることに加え、施工会社に相見積もりを取って工事費を抑えるのが常套手段です

03. 工務店ごとに異なる家を建築している

建て主に合わせて性能や素材を変えることは滅多にありませんし、施工費なども基本的に一定のため、会社ごとに工事費が異なります。特殊な設計をしなければ、概算金額と設計後の積算に大きな誤差は生まれません

10

プランニング前に家の大きさを決める

　建築予算の上限が決まっていれば、床面積は予算と坪単価によって決まります。つまり、設計の途中で自由に面積を増やすことはできないので、初めに家の大きさを決めて、その範囲で間取りをつくらなければなりません。

　一方で、家の大きさは建て主の要望によっても左右されます。つくりたい家の大きさと現実に建てられる家の大きさは、必ずしも同一になるとは限らないので、間取りを考える前に両者を調整する作業が必要です。

　まずは希望する部屋と大きさを列挙します。その際、玄関、浴室、トイレなど、どの家でもあまり面積が違わないものは含めません。また、収納、オープンスペース、吹抜けなどは家の余裕度に左右されるので、これも含めません。一般的な家の場合、リビング、ダイニング、和室（客間）、寝室、子供室ということになるでしょう。それらの合計を算出して「間取り係数」をかけると家の大きさ（延床面積）が求められます。この間取り係数は1.6〜2.0の幅があるのですが、先ずは1.8を使って計算してみましょう。

　たとえば、リビング10帖、ダイニング7帖、キッチン5帖、和室6帖、寝

01. 継ぎ足し、継ぎ足しで間取りが大きくなってしまい、形もいびつになる

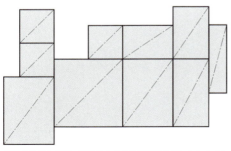 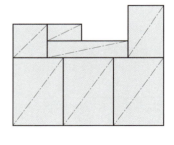

間取りを考える際、敷地の大きさや工事費を気にしなくてよい建て主だとしたら、「やってみたらこうなりました」で済むかもしれません。しかし普通の場合、家の大きさは敷地や予算という外的要因で決まります。適切な大きさと形のよい家は、周到な準備がなければつくることはできません

第1章　間取りの前に準備すべきこと　037

02. 間取り係数を使った床面積調整の手順

1
家全体の予定面積を決める

$$\boxed{予定面積} = \boxed{建築費} \div \boxed{坪単価}$$

建築費を3,000万円とした場合、
80万円／坪の面積＝3,000÷80＝37.5坪
90万円／坪の面積＝3,000÷90＝33.3坪

まずは建物の仕様・性能などを検討し、80万円／坪のスペックに狙いを定め、予算から割り出される床面積を算出する。もし90万円／坪のスペックで家を建てるとすれば、面積を抑えるだけでなく予算を増やすことも検討しなければならない

▼

2
必要な部屋面積を算出する

希望する部屋と面積を列挙し、所要室面積の合計を求める。この面積の合計が建築主の求める必要面積の基準となる。

リビング	10畳	寝室	8畳
ダイニング	7畳	子供室1	6畳
キッチン	5畳	子供室2	6畳
和室	6畳		

合計:48畳（24坪）

室8帖、子供室6帖×2室とすれば合計は48帖（24坪）で、1.8倍すると43.2坪になります。しかし、予算上は37.5坪までしか建てられないとすれば、希望の大きさでは間取り係数が1.56（37.5÷24＝1.56）に下がります。この値になると収納や水回りの余裕がなく、住宅として成立するか微妙なレベルです。スタディコーナーや吹抜けなどは望むべくもありません。こうした余裕が欲しい場合、係数1.8を使って希望面積を約41.0帖（37.5×2÷1.8＝41.6）に抑える必要があります。全体で6.5帖小さくしなければならないので、たとえばリビングと寝室を各2帖ずつ減らし、子供室2つを1.5帖ずつ減らして調整します。

　間取り係数は万能ではありませんし、扱い方に慣れも必要ですが、建て主の希望面積と予算をヒアリングしたら、その場で家の大きさを算出し、軌道修正することができます。一度つ

くった家の大きさを後で削るよりは、
建て主に対しても親切な方法だと思い
ます。

3
間取り係数を割り出す

間取り係数	=

予定面積	÷	所要室の合計面積

1で求めた予定面積を2で求めた所要室面積で割ると、家のゆとり度合いを示す係数が導き出される。左ページのように1.6〜2.0の範囲に納まらなければ、間取りとしてバランスを欠いた住宅ということになる。

80万／坪の面積： | 37.5坪 | ÷ | 24坪 | = | 1.56 |

→ 成立するか微妙なレベル

90万／坪の面積： | 33.3坪 | ÷ | 24坪 | = | 1.38 |

→ 住宅として成立しないレベル

ゆとりのない間取り：

| 24坪 | × | 1.60 | = | 38.4坪 |

→ 78万／坪のスペックに落とせば成立（3,000÷38.4＝78.1万／坪）

標準的なゆとりの間取り：

| 24坪 | × | 1.80 | = | 43.2坪 |

→ 70万／坪のスペックならゆとりが出る（3,000÷43.2＝69.4万／坪）

第1章　間取りの前に準備すべきこと　039

4
必要な部屋の面積などを調整する

各部屋の面積を減らしたり、部屋そのものをなくしたりして家全体の面積を小さくする工夫を行う。

リビング ………………	10畳→8畳	寝室 ………………………	8畳→6畳
ダイニング ………………………	7畳	子供室1 ……………	6畳→4.5畳
キッチン ……………………………	5畳	子供室2 ……………	6畳→4.5畳
和室 …………………………………	6畳	合計:48畳(24坪)→41畳(20.5坪)	

■ 各部屋の面積を抑えた場合の間取り係数

80万／坪の面積: 　 37.5坪 ÷ 20.5坪 ＝ 1.83

→ 収納その他にゆとりのあるレベル

90万／坪の面積: 　 33.3坪 ÷ 20.5坪 ＝ 1.62

→ ゆとりはないが成立するレベル

■ 係数を1.6に近付けることで(ここでは1.7)、
　部屋の数や面積をできるだけ維持することも可能

80万／坪の面積: 　 37.5坪 ÷ 1.7 ＝ 22.0坪

→ リビングと寝室で4帖減らせば、子供室は6帖のままで可

■ 予算を増やすことで、希望のスペック・面積に近付ける
3,300万÷90=36.6坪

90万／坪の面積: 　 36.6坪 ÷ 1.7 ＝ 21.5坪

→ 寝室と子供室を小さくすればリビングは10帖のままで可

11 要望を整理する

　建て主の要望は間取りをつくるうえで大切な要素の一つですが、建て主から一方的に要望を伝えられただけでは不十分です。なぜなら、建て主自身は家の全体像を描くことができませんし、自分が本当に叶えたい事を分かっていない場合が多いからです。したがって、要望を受け取るだけではなく、対面してヒアリング（直に要望を聞くこと）をすることが重要です。

　ヒアリングの際には、暮らしの中身に焦点を当てましょう。あれもした

01. 建て主へのヒアリング

02. 要望を5つに絞る

03. 要望に物語性を与える

04. 60項目に及ぶ詳細な要望リスト

い、これもしたいと要望を詰め込むのではなく、現在の暮らし、これからの暮らしを建て主と共有することが大切です。それでも要望が多い場合は、優先順位を付けて要望を整理しましょう。本当に必要なことを建て主自身にも理解してもらい、優先度の低い要望は諦めてもらうことも必要です。要望があまりに多いと、設計はそれを満たすことに汲々となってしまいますが、要望が少なければ、熟練の設計者は存分に腕を振るうことができます。建て主の目線に立てば、そのためには信じられる設計者を見つけることが肝要です。

何かの理由でヒアリングが難しい場合、そしてヒアリングの手掛かりにするために、ヒアリングシートを準備して、事前に記入してもらうのも有効です。そうすれば、車の車種や自転車の台数、持ち込み家具の種類とサイズ、家相や風水を気にするかなど、つい聞きそびれてしまいがちな内容もしっかり確認することができます。

05. ヒアリングの手順

A. 家族構成
単純に誰が住む家かを知るところから始まるが、子どもの年齢や性別は子供部屋のつくり方に影響を及ぼすので重要である。内法高さを低く抑えたい場合に、各人の身長を聞くということもある。

B. 基本的な住まいの考え方
後に聞く「過ごし方」にも関係するが、家族にとって家がどのような位置づけなのかを初めに聞いておく。子育て中心の生活か、子育てのない大人だけの生活なのかで、住まいの性格は大きく変わる。

C. 家族の過ごし方
家族が時間と場所を共有するリビングやダイニングのつくり方の参考となる。食後の時間や、その他の時間をどこでどう過ごすのかも聞いておきたい。平日と休日での過ごし方の違いも。

D. 個人の生活
個人で使うスペースについて決める際に参考とする。特別な空間、収納すべき特殊な持ち物などは聞いておきたい。仕事や趣味、好みなどを聞くことで、コミュニケーションを深めるという側面もある。

E. 子供部屋の考え方・子育て
親子のコミュニケーションについての考え方を聞くことが必要。子供部屋のつくり方に反映させる。成長に応じて区画させる方法や、小さいうちから子どもにきちんと部屋を管理させる場合もある。

F. 部屋の具体的な要望
希望の部屋と広さは、そのまま鵜呑みにできない部分でもある。本当にその部屋が必要か、その広さが必要かなどプロの目でアドバイスすることが少なくない。持ち込み家具などの寸法は必ず確認を。

G. 今後の家族構成の変化
5年後、10年後、30年後の家族はどうなっているか。特に子どもの成長後、子ども部屋をどう転用するかについては確認しておきたい。また親との同居や自身の老後の住まい方なども確認を。

H. 結果をメモまたはヒアリングシートに記入

06. ヒアリングで聞くべき内容

B. 基本的な住まいの考え方
☐ 家族が身近に感じられる大らかな空間の間取り
☐ 個人の生活を重視した独立性の高い間取り
☐ 来客へのもてなしなどを重視した客間優先の間取り

家族構成などにもかかわってくる部分で、子育て中心の生活であれば大らかな空間の間取りを、子どものいない大人だけの住まいであれば独立性の高さを、親族が集まることの多い「本家」の建て直しのような場合は客間優先の間取りとなる。ただし、人によってはそれらの中間ということもあり、建て主との会話の中から探っていく。

C. 家族での過ごし方
◎ 平日と休日それぞれの家族の暮らしぶりを聞く
☐ 食事の時間だけでなく、家族で多くの時間を共有する
☐ 食事はみんなで一緒に食べるが、食後は思い思いの場所で過ごす
☐ 食事もあまりそろうことがない

◎ 床座と椅子座について
☐ 食事は椅子に腰掛けてダイニングテーブルで、食後はソファーに座って過ごす
☐ 食事は座布団に座って座卓で、食後は床に座ったり寝転がる など

ファミリースペースのつくり方に決定的な違いをもたらすのが、床座と椅子座の使い分けである。現在の住まいでは狭くてソファーが置けなかったが、家を建てたらソファーを置きたい、という考えもあれば、ソファーはほとんど使わなかったので床座にしたい、など現在の暮らしとこれからの暮らし方を比較しながらヒアリングしていくのがよい。

D. 個人の生活
夫　　　：帰宅後にどこで何をするか。休みの日は何をするか。趣味 など
　　　　　[　　　　　　　　　　　　　　　　　　　　　　　　　　　　　　　　　　　　]
妻　　　：フルタイム勤務／パート勤務／専業主婦／その他
　　　　　趣味やこれから始めたいことはあるかなど
　　　　　[　　　　　　　　　　　　　　　　　　　　　　　　　　　　　　　　　　　　]
子ども　：帰宅後にどこで何をするか。休みの日は家にいるか。
　　　　　部活動や趣味など
　　　　　[　　　　　　　　　　　　　　　　　　　　　　　　　　　　　　　　　　　　]

屋内に特別な空間を必要とするか否かを、希望だけでなく生活の実態から探っていく。たとえばリモートワークに使う書斎が必要なのか、リビングの一画に書斎コーナーがあれば事足りるのか。また趣味や部活動などで大きな道具類を所有している、衣類が多いなど、収納する物の量も確認しておきたい。

F. 部屋の具体的な要望
希望する部屋とその広さ：予算で総面積は決まるので、あくまで目安として
[　　]
設備の大枠：ガスを使うかオール電化か、冷暖房方式をどうするか
[　　]

希望する部屋の広さを聞くのは一般的なことだが、「家の大きさ」の把握は34頁の図を活用しながらその場で計算し、即答してしまうのがよい。プラン提案の段階で「間取りに入らなかったので小さくした」では建て主をがっかりさせてしまう。設備情報からキッチンの仕様や、冷暖房器具の設置スペース、配管ルートなどをつかむ。

第1章　間取りの前に準備すべきこと　043

家族が集まる場所と過ごし方

　家の中で最も長居する場所は、家族で一緒に過ごすことの多いリビング・ダイニングだと思います。このスペースは多様な形が考えられるので、ヒアリングが絶対に欠かせません。ダイニングテーブルとソファーを組み合わせた定番の形もあれば、ソファーの代わりに床に座るのが好きな人もいます。その「床座」にしても、フローリングにギャッベなどの敷き物を敷く場合と畳敷きにする場合で空間は変わります。さらに畳敷きでも、間仕切りをつくらず、床に畳を埋め込んだだけの畳リビングもあれば、座敷＋茶の間とい

01. ソファーを置いた定番リビング　茅ヶ崎O邸｜平面図（S＝1:150）

ソファーに腰掛けて何をするかで、ソファーを置く場所も変わります

食事のスペースにはダイニングテーブル、くつろぎのスペースにはソファーを置くのが定番の形です

うように、和室が並ぶ伝統的な続き間タイプもあります。面積に余裕がない場合は、客間として使うことのできる和室をダイニングの隣に配置して、「茶の間リビング」にするのもお勧めです。

面積が限られている場合、あるいは小さな子供がいない場合など、リビングを省略してダイニング中心の空間にすることもあります。大きなダイニ

ングテーブルを据えて、多目的な使い方をするのもよいですし、座面の低い椅子や掘りごたつのように、長く座っていても疲れない寛げるスタイルもよいでしょう。1〜2人掛けの椅子（ソファー）であれば、ちょっと空いたスペースに置くこともできます。

「茶の間」とは本来、食事や団らんに使われる畳敷きの部屋を指します。その流れで、主な食事に座卓を使うケースも見られます。この場合、ダイニングテーブルは不要になりますが、対面キッチンの向かいにカウンターダイニングを設けると便利です。母親が調理をしながら子供にご飯を食べさせるなど、朝食や夜食を簡単に済ませる際に重宝します。そのほか、既成概念に収まらないオリジナルタイプを考えてみても面白いでしょう。

02. ソファーを置かない床座リビング
茅ヶ崎S邸｜平面図（S＝1:200）

フローリングの床であっても、ラグを敷いたり座椅子を使えば問題なく過ごせます

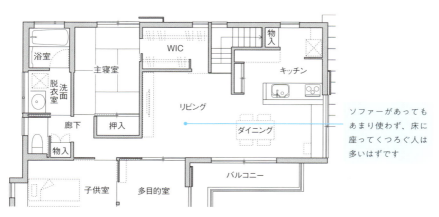

ソファーがあってもあまり使わず、床に座ってくつろぐ人は多いはずです

第1章　間取りの前に準備すべきこと　045

03. 小さな家は食事のスペースがLDの中心　鎌倉Y邸｜平面図（S＝1:200）

この家はキッチンカウンターも広いので、カウンターダイニング＋ソファーのあるリビングにすることもできそうです

リビング・ダイニングが小さい場合、また大人だけが暮らす家も、食事のスペースが中心になります

04. リビング兼用の大テーブルダイニング　藤沢K邸｜平面図（S＝1:150）

来客時に大勢で食卓を囲むことが多いため、伸長式のテーブルを使っています

大きなテーブルを中心に据え、座面の低い椅子などを使って、食後も長く留まる過ごし方です

05. 畳を埋め込んだ床座リビング 横浜S邸｜平面図（S＝1:150）

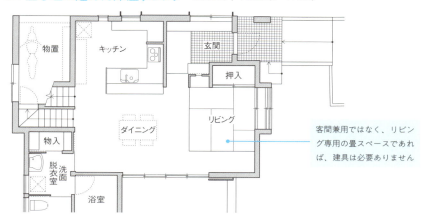

客間兼用ではなく、リビング専用の畳スペースであれば、建具は必要ありません

床が硬くても大丈夫な人はよいのですが、お尻に優しいのは畳敷きの床です

第1章　間取りの前に準備すべきこと　047

06. 小上がりの畳リビング　横浜Y邸｜平面図（S＝1:150）

床座は見下ろされる形になるので、小上がりにして目線を揃えるのがお勧めです

本格的な床の間付きの和室ですが、建具なしのリビング専用にしました

07. 掘炬燵のある茶の間リビング 横須賀S邸｜平面図（S＝1:150）

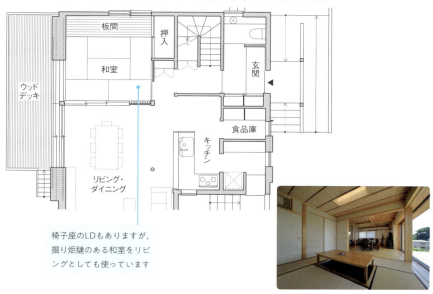

椅子座のLDもありますが、掘り炬燵のある和室をリビングとしても使っています

これが茶の間のイメージです。地方では今でも、ふた間続きの和室がある家が建てられています

08. カウンターダイニングと床座の居間 平塚Y邸｜平面図（S＝1:200）

主な食事は座卓を使うことになりますが、カウンターがあると椅子も使えて便利です

早朝や深夜に一人で食事をする時も簡単ですし、対面キッチンならサービスする方も楽です

第1章　間取りの前に準備すべきこと　049

09. リビングと分けるプライベートダイニング 藤沢K邸｜平面図（S＝1:200）

LDを緩やかに分けたり、戸で仕切れるようにして、両者の領域を分けます

改まったお客様をリビングで接客する場合、一体的すぎるLDだと家族の居場所がありません

10. ダイニングと分けた籠れるリビング 横浜S邸｜平面図（S＝1:200）

リビングの床を一段下げ、仕上げも変えてぐっと落ち着ける雰囲気にしました

開放的で明るいダイニングに対して、閉じてやや暗めのリビングで映像を楽しみます

13

親子の接点のつくり方

　建売住宅やマンションのように大量生産される住宅は、一人一人の要望を聞いて造る訳ではないので、一見すると誰が住んでもよさそうな間取りになっています。しかし実は、私たちがその間取りに慣らされてしまっているだけで、それをスタンダードにするのは問題があると思います。特に子供部屋の造りに関しては、子供の数だけ個室を用意する間取りで、果たしてよいのでしょうか？

　子育て中の家族にとって、親子や兄弟同士の関わりが最も大切であるにもかかわらず、幼少期から一人につき一部屋を与えたうえで、親子兄弟の接点をつくる工夫がなされていません。そうなると、ある時期からコミュニケーションが希薄になり、同じ家で暮らしながら、会話も挨拶もないという状況が起こり得ます。これは子供にとって望ましい環境ではありません。

　接点の一つは「吹抜け」です。通常、1階と2階は顔も見えなければ会話もできない別世界ですが、リビング・ダイニング（1階）の上に吹抜けを設けることで、子供部屋（2階）の様子が分かったり、声が届きます。吹抜けに面して共用スペースをつくり、それが子供部屋と繋がる間取りは理想的です。

　もう一つは「スタディコーナー」で

01. 子供部屋は成長に応じて区画

当たり前に個室があれば、「籠もらないでね」と言ったところで出て来ません。2人以上の子供がいれば、まずは共用の子供スペースにしましょう

02. 2枚引戸で部屋を大きく開放する

ホールや1階との繋がりを保つために、2枚の引戸を引き込む形にすれば、開口幅は170cm以上です

第1章　間取りの前に準備すべきこと　051

す。共用スペース、スタディコーナーといった場所は、親の目が届き、コミュニケーションが図りやすい空間です。子供部屋の外に設ければ、親子兄弟の接点が生まれ、大きくなっても意外とそのまま受験勉強に使えたりもします。リビングの一角に設ければ、親の目がより届きやすい学習スペースです。しっかり囲い込んで「自習室」のようにすれば、受験勉強にも対応できる魅力的な空間が生まれます。

03. 2階ホールと1階をつなぐ吹抜け　多治見H邸｜平面図（S＝1:200）

共用スペースに面して吹抜けを設ければ、子供部屋と1階が緩やかにつながります

部屋を孤立させ、採光・通風の障害になる廊下をなくし、ホールや共有スペースにしています

リビングやダイニングの上に吹抜けをつくります

04. 2階スタディコーナーと1階をつなぐ吹抜け

05. 子供部屋の前のセカンドリビング

各階の共用スペースを吹抜けでつなげば、話し声や気配が伝わり、互いに安心感が得られます。2階のスタディコーナーも1階の近くに感じられます

遊び場、休憩場所をつくることで、子供室に籠もる確率を下げることができます

06. リビングの隣にスタディコーナーをつくる　川崎Y邸｜平面図（S＝1:200）

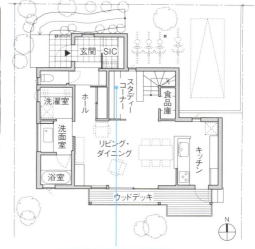

LDとの間に竪格子を立てることで、親の目が届きつつも丸見えにならないスペースになります

リビングの一角に設ければ、親が家事や他のことをしていても目が届き、勉強をサポートしやすいです

07. 子供部屋の前のスタディコーナー 鎌倉Y邸｜平面図（S＝1:150）

部屋の外なので、親にも様子が分かります。難関国立大学に現役合格したスタディコーナーです

リビング横だと常に見られていて落ち着かないなら、子供部屋の前がよいでしょう

08. ほどよく囲われた落ち着く学習スペース 鎌倉K邸｜平面図（S＝1:150）

子供部屋を充実させるよりも、部屋と部屋の中間領域を充実させると、家は魅力的になります

子供部屋とダイニングの中間にあり、開放感と自習室のような落ち着きが同居しています

14

家事の仕方、こだわりを確認

　家事については、買い物、調理、入浴、洗濯、物干しなどの常識的な家事動線を押えることに加え、各人の好み・やり方の違いを把握することが大切です。

　先ずはキッチンの形状ですが、大別すると対面型キッチン、壁向き型キッチン、独立型キッチンに分かれ、必要なスペースも異なります。「対面型」は手元が隠れ、作業しながら家族の顔や家全体が眺められるので、多くの人に支持されています。難点は、余分にスペースが必要なことと、レンジフードや配管の処理で、アイランドキッチンはさらにスペースを必要とします。「壁向き型」は、ダイニングに正対しなくてよいので、間取りの自由度が高く、スペースの限られたLDKには最適です。正面に窓を設けることができるので、明るさや眺望を得るにも有利です。ダイニング側を収納などで囲えば落ち着いた作業空間にもなり、壁と出入口を設けて完全に囲えば「独立型」になります。

01. 一般的な対面型キッチン　大和O邸｜平面図（S＝1:200）

油汚れを気にする場合はコンロの前に壁を立て、一体感を重視する場合はオープンにします

省スペースでコストも抑えられるI型キッチンを使うのが、対面型のスタンダードです

浴室を1階にするか2階にするかは、全体の面積バランスで決まることも多いのですが、寝る直前にお風呂に入る人は、浴室と寝室が同じフロアにあると楽ですし、風呂上がりにリビングやダイニングで過ごす人は、LDKと同じフロアがよいでしょう。

これに洗濯・物干動線の観点を加えます。キッチンでの調理や片付け中に洗濯機を回したい人は、キッチンと浴室・脱衣室を同フロアにするか、洗濯機だけをキッチンの近くに置くとよいでしょう。ただし全自動洗濯機が多い昨今は、キッチンの近くにある必要性は小さくなっていると思います。むしろ、物干場との関係で洗濯機の場所を決めると家事動線が楽になります。洗濯物を庭先（1階屋外）に干す場合は、洗濯機（脱衣室）も1階にあるとよいですが、2階のバルコニーなどに干す場合は、洗濯機も2階にあると便利です。

02. 機能的な壁向き型キッチン　二宮M邸｜平面図（S＝1:200）

コンロとレンジフードが壁を向くのは合理的で、吊戸棚もしっかりと取れます

ダイニング側に作業台を設けると、対面的なイメージになります。壁を造って隠せば独立型にもできます

03. 物干場と洗面室（洗濯機）を近付ける　世田谷A邸｜平面図（S＝1:150）.

洗濯動線だけを考えると、物干場の近くに洗面室（洗濯機）があるのが合理的です

2階に洗面・浴室があって、しかもバルコニーと隣り合わせにできたので、洗濯動線は最短です

04. 室内干しスペースを設ける　茅ヶ崎S邸｜平面図（S＝1:150）

花粉症で洗濯物を外に干せない人が増えています。梅雨期も天気を気にせず洗濯物が干せます

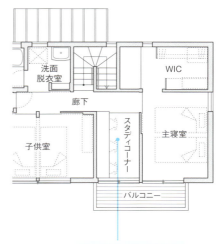

普段はあまり使わない、2階ホールなどを物干場にするとよいでしょう。特にバルコニー前は理想的です

第1章　間取りの前に準備すべきこと　057

05. サンルーム〔洗濯室〕をつくる 御殿場K邸｜平面図（S＝1:150）

湿度が高く積雪もある御殿場市に建築したので、洗面室の隣に南向きのサンルームを設けました

一般地域では少し贅沢ですが、冬の湿度が高くて晴れ間もほとんどない、日本海側の地域では必需品です

06. 洗濯室の近くにWICをつくる 藤沢M邸｜平面図（S＝1:200）

室内物干場であり、ガス乾燥機もある洗濯室の隣に、家族共用のWICを設けました

WICが隣接しているので、ほとんど移動せずに洗濯物を「たたむ」「しまう」ができます

洗濯流しとガス乾燥機を備えた洗濯室。洗濯物をたたみ、アイロン台にもなる作業台をつくりました

15 物の量を把握する

　収納スペースは面積よりも壁の長さが重要です。6帖の部屋と4帖の部屋を比べた場合、収納量に大きな差は生まれません。また押入のような深い収納は、物を死蔵してしまう恐れがあるので、収納する物によって適切な奥行きがあることを押えておきましょう。

　均一のサイズで大量に所有しているモノと言えば、本・靴・食器・衣類・布団があります。本は250mm前後、靴は350mm前後、食器は300mm前後、衣類は600mm前後、布団は800mm前後というように、必要な奥行きは決まっているので、それらを並べた時の高さと長さを測ることによって、収納スペースの長さと必要な棚の段数を割り出すことができます。物入れの戸が開き戸の場合は、扉の厚みだけ考えれば大丈夫ですが、引違い戸を使う場合は、奥行きを余分に見込む必要があります。

　衣類は、パイプを渡してハンガーを掛ける場合と、箪笥や衣装ケースを使って引出しに収納する場合があるので、立体的に計画することも大切です。また、大きさが不揃いの物や、重ねて収納しても大丈夫な物は、段ボー

物の寸法と収納スペースの奥行

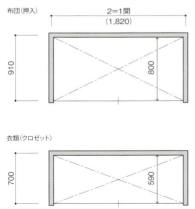

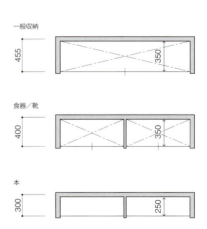

和ダンス・洋ダンスの寸法

納戸の寸法

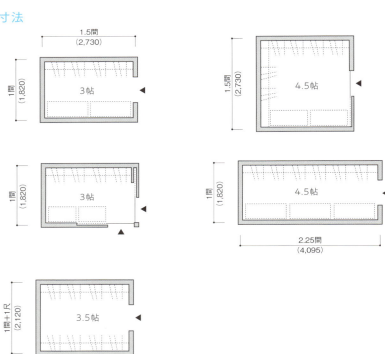

ル箱などに入れて管理するとよいでしょう。箱にしておけば積み上げることができるので、高さ方向も無駄なく使えます。

開口を300mm広げて2,120mmにしたウォークインクローゼット

自転車が入れられる3帖全体が土間の玄関収納

住宅に必要な収納スペースを挙げて
みます。まずは玄関収納室です。巷で
は「シュークロ」という言葉も耳にし
ますが、「シューズクローゼット」は
下足箱のことなので、この本では「玄
関収納」とします。玄関近くに置きた
い物として必須なのは、靴、傘です。
それに次いで冬用のコートやレイン
コート等の防寒防雨着、自転車の空気
入れ、ベビーカー、子供の外遊び道
具、中高生ならスポーツ系部活の道
具、大人ならテニスラケットやゴルフ
バッグ、スキー板やスノーボードなど
もあるでしょう。広いスペースが取れ
るのであれば、キャンプ道具やBBQ
セット等のアウトドアグッズ、高価な
ロードバイク等の自転車も家の中に入
れたいところです。

　靴やコート類程度であれば1帖でも
十分ですが、1.5〜2帖あると便利で
す。自転車を入れるレベルになると2
〜3帖ぐらいは確保しましょう。

　次は食品庫（パントリー）です。キッ
チンが5帖あるとして、キッチンセッ
トの収納、食器棚や家電台収納、壁向
きキッチンなら吊戸棚もあるので、食
器類の少ない家庭ならパントリーも兼
ねてしまうかもしれません。

　しかし生協などの1週間分の食品配
送サービスを享受していたり、水や酒
類を箱買いしたり、分別ゴミ置き場も
兼ねるとなれば、やはりキッチンとは
別に収納スペースが必要です。最近は
2台目の冷蔵庫や冷凍庫、ワインセ

ラーなどを置く人も出てきました。確
かに冷蔵庫の冷凍室は狭いのですぐ
いっぱいになってしまいます。冷凍食
品は家事を楽にするアイテムですの
で、冷凍庫はこれからのスタンダード
になるかもしれません。

　1帖の両側に可動棚を作れば、幅
160cm×天井高の収納力になります。2
帖確保できればその2倍で、冷凍庫や
ワインセラーが入ってもまったく問題
ない収納力です。ここに勝手口を設け
ると収納力は少し落ちますが、玄関を
経由しない買い物動線やゴミ出し動線
を希望する場合は非常に便利です。ま
た、玄関から食品庫を通り抜けてキッ
チンに行ければ勝手口は必要ないの
で、そういった要望も多くなっている
と思います。

　次はウォークインクローゼット（略
してWIC）です。扉付きクローゼット
（洋服入れ）の大きさについては書きま
したが、WICについても触れておきま
す。グリッドとの相性から、基本的に
は1間（1,820mm）幅になることが多いと
思います。洋服掛けの奥行きは550mm
程度必要なので、両サイドに洋服掛け
を設けると通路幅は600mm程度になり
ます。この寸法でも使えることは使え
るのですが、中で着替えをするにはや
や狭い印象を受けます。洋服掛けを片
側だけにして、反対側に奥行450mm程
度の箪笥や衣装ケースを置くと、通路
幅に余裕が出て着替えもしやすいで
しょう。洋服が多い場合は、ハンガー

第1章　間取りの前に準備すべきこと　061

パイプを上下2段にすれば洋服の収納量はほとんど減りません。1間より150mmでも広いと両側に洋服を掛けた場合に余裕が生まれますが、間崩れが起きてしまうので広げるなら300mmがよいと思います。

また、従来は寝室の隣に設けることが多かったWICですが、洗面脱衣室や洗濯室の近くに設けることも増えてきました。外干しする場合は、洗濯物を取り込んで「畳む」場所とWICが近ければよかったので、2階バルコニーで干し、寝室等で畳み、すぐ隣のWICへという動線が合理的でした。ところが最近は、室内干しやガス乾燥機の需要が増えたのに伴い、室内干しスペースや乾燥機のある場所（脱衣室や洗濯室）の近くにWICを設けた方が合理的です。そして以前は少数派だった、家族共用のWIC（略称ファミクロ）が増えています。これらは「家事を楽にしたい」という共働き家庭のニーズといえます。

次は納戸あるいはロフト（小屋裏納戸）です。玄関収納、食品庫、WICといった目的別の収納とは別に、雑多な物をしまうスペースとして納戸があると便利です。扇風機などの季節家電、旅行用トランク、雛人形や五月人形、夏と冬で交換する布団類のほか、趣味に関する物などさまざまあることでしょう。2〜3帖でも取れればロフトを造る必要はなくなります。

ロフトの要望というのは昔から根強くあります。法的には延べ床面積に含まれないため、床面積を大きくできない家では極めて有効です。ただし屋根裏が大きくなければいけないので、片流れ屋根の建物が有利で、切妻屋根なら間口を広くして棟を高くしなければ天井高さは不十分になります。片流れ屋根に近い招き屋根もロフトをつくるには有利です。

もし切妻屋根で2階の桁上にロフトをつくるとなると、小屋裏のボリュームはさらに小さくなってしまうので、屋根勾配を急にしなければ成立しません。そうすると外観に及ぼす影響も大です。そこで、ロフト部分だけ2階の天井を低く抑えることで小屋裏の高さを確保したりしますが、真壁の家では複雑な構造が露しになるので、注意が必要です。

固定階段で上るロフトの需要もありますが、これは家の形や間取りに対する拘束力が強いので、絶対条件にすると「ロフトありき」の家になる可能性があります。固定階段でない場合は、可動式の梯子、天井に格納された折りたたみ式の梯子が一般的です。ただ、十分な天井高さや広さが取れないロフトは、中で動き回るのが大変なので、天袋式の収納にするのがお勧めです。部屋や廊下の天井を高くして、奥行き600〜900mm程度の棚状のスペースを造り、脚立等を使って横から物を出し入れする形です。見せてもよい場所ならオープンのまま、隠したい時は引戸を入れて文字通り「天袋」にします。

第2章

間取りの基本ルール

01

間取りを考える前に知っておきたいこと

　間取りを組み立てるには基本的な知識やルールを押えておく必要があります。まずは所要室の広さです。「予算」の項でも述べたように、床面積はダイレクトに工事費に跳ね返ります。そのため予算に限りがある普通の人は、家を無駄に広くつくる余裕はありません。各部屋（スペース）に必要な広さの目安を知っておくことが大切です。

　玄関の大きさは、来客が多い家は広めに、家族専用で使う家はコンパクトにします。リビング・ダイニングは、1章で述べた「リビングのスタイル」によっても違いますし、建てられる家の大きさによっても変わります。

　キッチンの大きさは、家によってあまり差はありませんが、対面型か壁向き型かで必要スペースが多少変わります。和室は、床の間や床脇を備えた本格的な座敷から、リビングの一部として普段使いする客間、僅か2畳の畳コーナーまでさまざまな大きさがあります。

　寝室の大きさは、ベッドを使うか布団を敷くかで変わりますし、寝る以外の用途にも使う寝室は広くなります。

　子供室の大きさは、1章で述べた「親子の接点」という観点から、小さ

くすることをお勧めします。子供の居場所を部屋で完結させないことです。

　間取りをつくるうえでは、部屋と部屋、空間と空間をつなぐ部分、すなわち「廊下」「階段」「吹抜け」が重要です。そして、風通しや空間のつながりを得るためには、間仕切りや出入口を「引戸」にすることが大切です。

　目的別に部屋を用意したり、個室を重んじる間取りは、廊下が長くなります。廊下が長いと空間は分断され、風通しも悪くなります。したがって、廊下は「なくす・短くする・広くする」の三段活用で考えます。階段の基本形は直進階段と折り返し階段で、その応用型もあります。間取りは階段の設計で大きく変わることがあるので、ルールや特徴を把握して、上手に使いこなす必要があります。吹抜けは必須項目ではありませんが、あれば1階と2階が断絶せず、採光・通風にも効果があり、空間の魅力が大きく増します。

　このように、廊下、吹抜け、引戸を上手に扱うことによって、風通しがよく、家族のふれあいが生まれ、面積以上の広さを感じる家になります。こうした手法を「広がり間取り」と呼び、間取りの大原則にしたいと思います。

02

玄関の広さは2〜3帖

　玄関と廊下がつながっていて、同じ空間に階段もある家は、実際の面積以上に玄関が広く感じますが、この本では「玄関起点」ではなく、玄関を独立させた「リビング起点」の動線を基本原則とします。

　また、家によって玄関に求められる役割が違う場合もあるので、一括りで広さを語ることはできません。大別すれば、来客の多い玄関と主に家族しか使わない玄関です。子供の友達が大勢集まるとか、ホームパーティが多いといった場合は、土間を広げて靴を置くスペースを確保すればよいので、3帖もあれば十分でしょう。一方、かしこまった客人が訪ねて来るような名士の家だったら、4〜6帖ぐらいはほしいものです。

　それに対して家族中心の一般的な玄関なら、広さの基本は2帖です。下足箱を加えて2.5帖の玄関なら余裕がありますが、2帖の中に天井までの下足箱があると狭くなってしまいます。下足箱をつくるなら低めがお勧めです。

　玄関廻りには、靴以外にも傘、ベビーカー、アウトドア用品等の置場が

01. 下足箱のある2帖前後の玄関

玄関には下足箱が付き物です。間取りを考える上でも、下足箱のある2帖の玄関が基準となります

下足箱も造り付け収納の一つです。板戸、格子戸、襖など、扉のデザインで表情を変えられます

第2章　間取りの基本ルール　065

必要なため、近くに収納がないと玄関は物で溢れかえります。玄関の隣にはできるだけ玄関収納室を設けます。玄関収納室にオープンな棚をつくるほうが、下足箱よりも安上がりですし、コート掛けや帽子掛けもつくれます。

02. 下足箱やコート掛けのある広い玄関

3〜4帖の玄関であれば、壁面収納の圧迫感は軽減されます。下足箱などを上手に組み合わせましょう

下足箱と壁面収納に漆和紙の襖を使ったシックな玄関。収納の蓋を兼ねたベンチも設えました

03. 玄関収納を併設した2帖の玄関

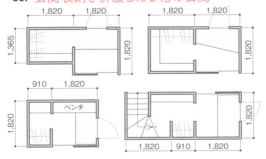

下足棚のある収納室があれば、下足箱は必要ないので、玄関の広さは2帖でも狭さを感じません

アウトドア用品が多ければ土間収納が便利ですが、靴の出し入れに関しては床上収納の方がスムーズです

04. 通り抜け可能な玄関収納と玄関

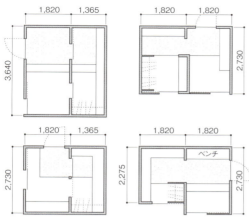

基本サイズは玄関3帖+収納室3帖ですが、収納室は6尺幅だとやや余り、4尺5寸幅にすると無駄がありません

土間からも床上からも入れる玄関収納室は、靴を取る際も後戻りをしなくてよいので便利です

05. 4帖半に収める玄関収納と玄関

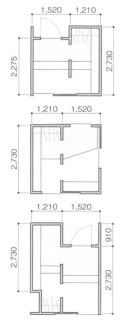

04より少しコンパクトにしたい場合は、全体で4帖半のスペースに収めます。半々に分けると玄関が少し狭いので、玄関5尺幅、収納室4尺幅に分けるのがお勧めです

間仕切りの欄間を空けて天井を連続させると、5尺幅の玄関も広く感じます

第2章　間取りの基本ルール　067

03

リビング・ダイニングの広さはスタイル次第

前章の「要望」の項で見てきた通り、「家族で過ごすかたち」はさまざまです。そのスタイルによってリビング・ダイニングに必要な広さが異なります。

先ずは、ソファー＋ダイニングテーブルの「定番型」です。ソファーとテレビ台が2間幅の空間に納まるぐらいがちょうどよいので、リビングは8帖が理想的です。ダイニングはテーブルの大きさにも左右されますが、1間半の幅があればよいので6帖が基本になるでしょう。合わせると14帖以上ほしいところです。

次に、ソファーを置かない「床座リビング型」ですが、ソファーがないだけで確実に面積は減ります。それでも、敷物を敷いたり座卓を置いたりすれば6帖程度のスペースはほしいので、ダイニングと合わせると12帖の広さが必要です。床を畳にした畳リビングは、寝転がったり、冬にこたつを出したりできて日本らしいスタイルです。畳のスペースを小上がりにすると、ダイニングと座面が揃うので、大勢で食事をするのにも適しています。

床座の一形態としては「茶の間型」もあります。畳リビングが建具で仕切

れる和室になっている形で、客間や寝室として使うこともできます。和室本来の多目的な使い方が可能なため、客間を設ける余裕のない小さな家にはぴったりです。和室は4.5〜6帖ぐらいほしいので、ダイニングと合わせて10.5帖以上が目安です。

床座の別形態として「カウンターダイニング型」があります。ダイニングテーブルを使わず、床に座って座卓等で食事をするのが基本スタイルですが、朝食や一人で簡単に食事を済ませる場合のために、キッチンの脇や対面にカウンターテーブルを設ける形です。8帖＋2帖で10帖ぐらいが目安になります。

リビングとダイニングの明確な機能分け、エリア分けがないケースを「ダイニング中心型」と呼びます。大きなテーブルがあれば、食事にも仕事や趣味にも使えますし、座面の低い椅子があれば、食後もそのまま寛ぐことができます。空いたスペースに一人掛けのソファーやチェアを置くと、より使い方に幅が出ます。これも10帖程度はほしいところです。

食事の時しか一緒に過ごさない、という方は「リビング不要型」です。夫

婦で別々の趣味・嗜好を持っている場合、一緒にテレビを見ることも少なく、各々の部屋で過ごす時間が増えます。少し寂しい感じもしますが、年配の夫婦にはよくある光景かもしれません。欲を言えば8帖程度ほしいところですが、6帖でも十分に成り立つでしょう。

01. 定番のソファー＋ダイニングテーブル　大磯M邸｜平面図（S＝1：150）

ダイニングテーブルと2〜3人掛けのソファーを置く形が最もポピュラーです。部屋の真ん中に置くと、ソファーで空間が仕切られます

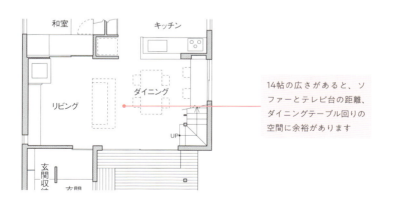

14帖の広さがあると、ソファーとテレビ台の距離、ダイニングテーブル回りの空間に余裕があります

第2章　間取りの基本ルール　069

02. ソファーを置かない床座リビング 小田原K邸｜平面図（S＝1:150）

鮮やかな色のギャッベを敷いた床座リビング。梁からブランコが下がっていて、楽しげな雰囲気です

ソファーがないことに加え、隣り合うキッチンとスタディコーナーが空間的に繋がり、12帖でも広く感じます

03. 茶の間リビングとダイニング 藤沢K邸｜平面図（S＝1:150）

ダイニングとの間に襖があり、引き込めば1間の開口でつながり、閉めればそれぞれに分かれます

食事はダイニングなので、厳密には「茶の間」ではありませんが、畳の部屋で寛ぐ点は同じです

04. カウンターダイニングと床座リビング 藤沢W邸｜平面図（S＝1:150）

対面キッチンと向かい合うカウンターダイニング。食事だけでなく、さまざまな用途に使えます

ソファーを置くスペースもあってやや広いですが、基本は座卓を使う床座の暮らしです

05. リビング兼用の大テーブルダイニング 小田原S邸｜平面図（S＝1:150）

飛騨の家具屋に注文した栃の大テーブルは、食事以外の様々な用途にも使い、寛ぎの場にもなります

ダイニングでありリビングであり子供の遊び場でもある。用途を限定しない使い方は室名にも表れています

第2章　間取りの基本ルール　071

04

キッチンの広さは5帖が基準

　キッチンをスタイルで分けると、対面型と壁向き型に大別されます。
　対面型は手元が隠れ、作業しながら家族の顔が見えたり、家全体が眺められるので、多くの人に支持されています。背面に食器棚、家電収納、冷蔵庫を並べるのが一般的ですが、冷蔵庫の奥行きに合わせると通路が広くなるため、5帖が目安になります。
　ペニンシュラ型やアイランド型は対面キッチンの一形態で、リビング・ダイニングに対してよりオープンなキッ

[キッチンのレイアウトパターン]

・幅1間では食器棚が置けないため、長4帖（1,820×3,640㎜）では成立しません
・対面でも壁向きでも、流し台と冷蔵庫を横並びにできれば床面積が抑えられます
・側面に通路があると動線が短くなり、キッチンの面積は4帖の広さに収まります

チンです。そのため、デザイン性の高い高価なレンジフードが必要になることや、配管スペースの確保に注意が必要です。アイランドキッチンは左右から出入りする動線が必要なため、少なくとも2間半の間口が必要になります。

壁向き型は、ダイニングキッチン型と厨房型に分かれます。奥行650～700mmのキッチンセットと冷蔵庫が壁向きに並ぶことで、通路幅を無駄に広くする必要がなく省スペースです。食器棚や家電収納を向かい側に置く必要もなく、設計に自由度があります。

リビング・ダイニングと分かれた厨房型は、多少散らかっていても気にならない（特に客人から見られない）のが最大の利点です。必要なスペースは5帖程度と同じですが、空間の広がりに寄与できないため、リビング・ダイニングが狭く感じられます。

対面型と壁向き型を折衷したL字型や二列型もあります。両者のよい所を取っているのでメリットは多いのですが、コストは余分にかかります。

第2章　間取りの基本ルール　073

01. I型対面キッチンがスタンダード　川崎Y邸｜平面図（S＝1:200）

食器家電収納はさまざまな形にすることができます。勝手口からデッキ（物干場）に出られるのも便利です

コンロ前に壁を立てた標準的な対面キッチン。背面に冷蔵庫と食器家電収納が並びます

02. 冷蔵庫が横並びの対面キッチン　町田Z邸｜平面図（S＝1:150）

サイドフードを使ってコンロ前をオープンにした対面キッチン。ダイニングとの一体感は絶大です

対面キッチンでも、冷蔵庫を横に並べることで省スペースになります。ダイニングから冷蔵庫が見えないのもよい感じです

03. 冷蔵庫を側面に配置した対面キッチン 横浜T邸｜平面図（S＝1:200）

側面に冷蔵庫があるとLDから目立たないため、見た目がよいのも長所です

キッチン横が通路になる場合、冷蔵庫を側面に置くことができ、キッチンの奥行きが浅くなります

04. 壁向きコンロのL型対面キッチン 茅ヶ崎S邸｜平面図（S＝1:200）

レンジフードが横を向くので対面カウンターがオープンになり、ダイニングとの一体感が増します

手持ちの食器棚を目立たないように配置したL型キッチン。奥に洗面室があるため、通り抜けられます

第2章　間取りの基本ルール　075

05. 開放的な壁向きL型キッチン 鎌倉Y邸｜平面図（S＝1:200）

スペースを有効活用できる壁向きのL型キッチン。造作キッチンだと長さや形も自由にできます

対面型は場所を取るので、小さな住宅には壁向き型のDKスタイルが最適です

06. セミクローズドの壁向き型キッチン 藤沢M邸｜平面図（S＝1:200）

キッチンの半分は食器棚で隠し、半分は低い作業カウンターのオープンな造りです

冷蔵庫が横に並ぶ壁向き型は省スペースです。横に移動すればパントリーもあり、収納も豊富です

07. ダイニングと横並びの壁向き型キッチン 逗子A邸｜平面図（S＝1:200）

横を向けばLDの様子も分かりつつ、作業に集中できる造りです。冷蔵庫や食器棚がLDから見えないのも利点です

家の間口が狭い場合は対面型より壁向き型が適しており、ダイニングが横に並ぶと配膳動線を短くできます

08. ダイニングと一列の横並びキッチン 横浜M邸｜平面図（S＝1:200）

一直線なのでキッチンの存在感が高まる反面、LDから丸見えになるため、背面収納も含めた設えが重要です

キッチンとダイニングが一直線になるため、配膳動線が最短です。キッチン正面に何を配置するかが鍵になります

第2章　間取りの基本ルール　077

09. 回れて便利なアイランドキッチン 藤沢K邸｜平面図（S＝1:150）

リビング・ダイニングに置いたような一体感が特徴ですがレンジーフードの排気経路に要注意です

左右から入れるため、床面積は大きくなりますが、行き止まりのない動線はとても便利です

10. 作業台が広く実用的な二列型キッチン H邸｜平面図（S＝1:200）

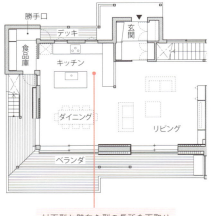

シンク側をフラットにすると、アイランドキッチン以上にダイニングと一体化し、空間に溶け込みます

対面型と壁向き型の長所を両取りした上で作業スペースを広くできます。さらに壁側をL型にすれば垂涎のカウンター長さです

最近のキッチンのレイアウト

　以前は、L型キッチンやアイランドキッチンも含めて、対面型キッチンを希望する人が圧倒的に多かったですが、当社の数少ない事例とは言え、7年前には壁向き型が増えて来たという感触がありました。これはフルタイムの共働きが増えて来たことも関係していて、「家族の顔を見ながら」よりも「効率よく家事をする」ことにシフトしている傾向が伺えます。また、子育てを終えた1〜2人世帯からの依頼も増え、そして土地の高騰も相まって、ここ数年で従来よりも小さな家を建てる機会が多くなりました。ダイニング・キッチンをコンパクトに収めるために壁向き型キッチンが増えてきた側面もあります。

　壁向き型キッチンにもさまざまな形態があります。1つは前述したダイニング・キッチン型で、コンパクトな家には最適です。食器棚や家電を置く場所の工夫は必要ですが、6〜7帖あればダイニングも収まってしまいます。また、部屋の角を利用してL型キッチンにすることで、スペースをより有効に使うことができます。

　次はセミクローズド型で、対面型キッチンの食器棚とキッチンセットを入れ替えた格好になります。壁向きなのでリビング・ダイニングから丸見えにならないものの、食器家電台の一部を対面カウンターなどにすることで、配膳のしやすさとダイニングとの繋がりが生まれる形です。

　その次は独立型で、リビング・ダイニングとの繋がりをあえて絶ち、調理や後片付けに専念できます。子供のいない世帯を中心に数例見られました。変わった所では、ダイニングとの間に引き込み可能な引戸を2本入れて、閉めれば独立型、開ければダイニングと横並びになる形がありました。広さもあって家族や親戚が来てお手伝いしやすいキッチンです。

　そして、トレンドと思われるのが「横並びキッチン」です。横並びキッチンの長所は配膳動線が短いことです。回り込む動線になる対面キッチンと比べれば歴然で、ダイニングと一列になる横並び型キッチンの場合は、見た目にもキッチンが主役のような存在感を放ちます。これは若い奥様には心躍る形ではないでしょうか。当社での事例は少ないのですが、地方で若い世代の家を設計する機会があった時に二度リクエストがありました。SNSによる情報収集によって、地方の若い人ほどトレンドに敏感な印象を受けます。

　二列型キッチンは、I型キッチンやL型キッチンに比べて作業スペースが広くなること、コンロが壁向きになる壁向き型と対面型のメリットを両取りした理想的な形です。一列型に比べてコストアップになるため、当社での採用実績は少なかったのですが、ここ数年で4件の採用がありました。

第2章　間取りの基本ルール　079

05

和室の広さは用途によって変える

　昨今の住宅事情では、床の間付きの座敷はおろか、普通の和室さえも姿を消しつつあります。しかし畳敷きの部屋は、用途を限らず多目的に使えるのが最大のメリットで、寝室として使う場合も、寝る人物や寝る人数を限定しません。特に客間としての対応力の高さは折り紙付きです。戦後の日本人は、「食寝分離」や「就寝分離」を通じて文化的な生活を手に入れてきました。しかし、部屋の使い回しが可能な和室は非常に優れた融通性があり、小さな家ほど大きな効果を発揮します。

　床の間付きの「座敷」と言えば8帖が理想ですが、床の間・床脇を加えると全体で10帖になるので、床面積の余裕が必要です。一般的には、座敷と言えども客間を兼ねて床の間＋押入の組み合わせにする場合が多く、部屋は6帖（全体で8帖）あればよいでしょう。

　明確な用途（寝室や稽古部屋など）のない和室を独立させてしまうと、普段はほとんど使わない死部屋になってしまうので、一般的な客間は、リビングの一角に普段使いのできる和室をつくるのがお勧めです。客人を泊めるので、建具で閉められること、押入をつくることは必須条件です。広さは、泊まり客を想定して決めることになりますが、大人2人（＋子供1人）が泊まるなら

［ 和室の広さのパターン ］

4.5畳

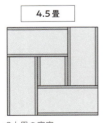

・2人用の寝室
・3尺角の座卓を使う茶の間
・小上がりの畳リビング

6畳

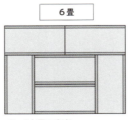

・2～3人用の寝室
・畳のリビング・ダイニング
・和室として最も扱いやすい大きさ

8畳

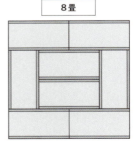

・3～4人用の寝室
・畳のリビング・ダイニング
・格式のある座敷に最適な広さ

4.5帖、大人3人や4人家族が泊まるなら6帖、大人4人が泊まるなら8帖は必要です。

客間としない和室の場合は押入と建具が必要ありません。一人で使うには、2帖や3帖の小さなスペースも面白い大きさです。畳リビングとして使う場合は、4人で座卓を囲むなら4.5帖、6人で座卓を囲むなら6帖が目安になるでしょう。

2畳
・乳幼児の寝室
・最小限の畳コーナー
・狭いため、就寝の用をなさない

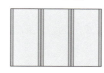

3畳
・1人用の寝室
・座卓をはさんで人が対面できる最小限の広さ

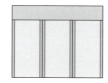

3畳+板床
・1〜2人用の寝室
・個室としても成立する
・座卓をはさんで人が対面できる最小限の広さ

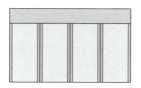

4畳+板床
・2〜3人用の寝室
・個室としても成立する
・座卓をはさんで人がゆったりと対面できる

4畳半の和室。吊押入にして床を広く見せています

2畳半の和室。お籠り空間ですが布団も敷けます

第2章　間取りの基本ルール　081

06

寝室の広さはベッド派と布団派で異なる

　ここでいう寝室は主寝室（夫婦の寝室）のことで、基本的には2人で寝るのに必要なスペースを考えます。ベッドで寝るか布団で寝るかは建て主の好みで、それによって必要な広さが異なるため、ヒアリングが欠かせません。

　寝室を和室にする場合、4帖半あれば2組の布団を敷くことができます。

　しかし、子供が小さいうちは家族揃って川の字で寝る家庭も多いので、6帖あると安心です。もし部屋に箪笥等を置く場合は、一回り大きい6〜8帖が必要になりますが、箪笥も納戸やウォークインクローゼットに入れることをお勧めします。

　布団を敷きっ放しにすること（万年床）は不衛生なので、和室を寝室にする場合は押入が必要になります。布団の上げ下ろしは毎日のことなので、ふつうの押入がベストですが、場合によっては廊下に押入を設けたり、納戸に布団棚をつくることもあります。

　ベッドにはさまざまなサイズがあります。シングルベッド（970×1,950㎜）、セミダブルベッド（1,220×1,950㎜）、ダ

[寝室の広さのパターン]

寝室（和） 　和室に布団を敷くなら 2人で4畳半〜6畳で十分

1 和室6畳 +押入（3.5坪）

2 和室4畳半 +押入（2.75坪）

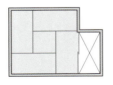

3 和室6畳+たんす置場 +押入（4坪）

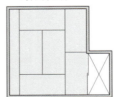

4 和室5畳+押入 （3坪）

ブルベッド（1,400×1,950 mm）、クイーンベッド（1,700×1,950 mm）など。ダブルベッドやクイーンベッド1台であれば、4帖半の部屋にも入ります。しかし幅1間半の部屋にベッドを置くと、ベッドの足先と壁の距離が近いため少し窮屈です。8帖あれば、箪笥やテレビ台を置くスペースが取れ、ベッドとの間の通路も広くなります。

シングルベッドやセミダブルベッドを2台置く場合、6帖の部屋が一つの目安ですが、前述の通り、壁との距離が少し狭くなります。1尺5寸（455mm）広げて7帖の部屋にすれば、余裕が生まれてよいのですが、間崩れによって間取りが難しくなります。その場合、8帖の部屋にして箪笥やテレビ台を置くスペースにしたり、造り付けクロゼットを含めて8帖のスペース（寝室は約6帖半）を確保するとよいでしょう。

年配のご夫婦や、イビキがうるさいという理由で夫婦別室を望まれる方もいます。寝るだけの空間であれば3帖でも事足りるので、6～8帖の部屋を建具や壁で仕切り、いつか一部屋に戻せるようにするのが賢明です。机を置いたりして趣味のスペースとしても使う場合は、後述する子供部屋のように4帖半×2室に分けるのが適当だと思います。

| 寝室（洋） | ベッドを2台並べる場合は6～7畳が望ましい
2台並べたベッドを壁に接して置くと奥の人が出にくくなる |

1 4畳半
シングルベッド
2台（2.25坪）

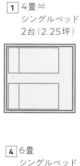

2 4畳半
ダブルベッド
1台（2.25坪）

3 6畳
ダブルベッド
1台（3坪）

4 6畳
シングルベッド
2台（3坪）

5 8畳
シングルベッド
2台（4坪）

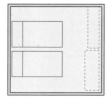

6 6畳半
シングルベッド
2台（3坪）

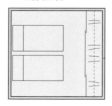

07

子供室の広さは4帖半が基準

　まず、子供部屋が必要な期間は実はそんなに長くありません。小学生ぐらいまでは、部屋で一人ぼっちで過ごすことは健全とは言えませんし、子供が巣立ってしまえば子供部屋は無用の長物です。結婚の高年齢化やパラサイトシングルの増加という時代背景を鑑み、大人の部屋を想定しておくべきという人もいると思いますが、そんな居心地のよい子供部屋が、独立できない子供たちを増やしてしまった可能性を否定できません。

　子供の性格形成にも影響を及ぼす子供部屋は、家族とのコミュニケーションが自然に図れる形が望ましいと言えます。それには1章で述べたように、子供の居場所を子供室だけで完結させないことです。部屋の外に勉強スペースを用意すれば、子供部屋は「寝る、しまう」のスペースだけで十分と言えるので、4帖以下でも大丈夫です。ただしベッドを使う場合、1間幅の部屋だと細い通路ができて無駄が多くなるので、3帖や4帖よりも3.75帖（2,730×2,275㎜）の広さがお勧めです。

　それでも「子供が小さいうちはダイニングやスタディコーナーを使い、受験の時は部屋で勉強させたい」という

01. 4帖半の子供部屋とスタディコーナー

無駄の少ないコンパクトな家をつくるため、そして子供を部屋に籠もらせないためには、やはり4帖半がお勧めです

02. 5帖の子供部屋

あまり一般的ではない大きさですが、6帖のぜい肉をそぎ落としたような大きさです。家具の置きやすさが利点です

親御さんも多いので、机を入れられる広さも求められます。実は、机も入れられる最低限の広さが前述の3.75帖（2,730×2,275㎜）なのです。同じ間口で奥行きを3尺広げると5帖の部屋になります。3.75帖より広いのはもちろん、壁が長いので家具が置きやすいのが特徴です。ただし3.75帖も5帖も2間半の間口を二つ割りしているので、通常のグリッドには乗りにくいのが難点です。

　したがって、一般的には柱や梁のグ

[子供室のパターン]

6畳　余裕のある子供部屋

5畳　家具が置きやすい子供部屋

4.5畳　3点セットが置ける子供部屋

3.75畳　3点セットもギリギリ置ける子供部屋

4畳

第2章　間取りの基本ルール　085

リッドに乗りやすい4帖半を基準にします。大きくて立派な家をつくるのであれば、子供部屋を6帖にも8帖にもできますが、限られた面積で家をつくる場合、子供部屋を広くするよりもリビングや共用スペースを広くするべきだと思います。

　子供部屋を6帖から4帖半に減らし、2室で3帖を節約したら、その分で共用スペースやスタディコーナーがつくれます。元々、子供部屋の外には廊下が必要なので、その廊下を少し広げるだけで無理なく共用スペースが取れるはずです。

　また、子供室に造り付けの収納（クローゼット）も要りません。子供部屋は一時的なものと考えれば、子供部屋としてしか使えない部屋を子供の数だけつくるのではなく、将来の転用性を高めるために、固定的なしつらいは減らすことをお勧めします。

　小さな家や兄弟が3人以上いる場合は、さらにスペースに限りがあります。1人あたり4帖半を確保できないこともありますし、均等の広さにする原則を破ることもあるでしょう。だからこそ、小さな個の空間と共用スペースの組み合わせが、より重要な意味を持ちます。

　少子化の影響は家づくりにも表れています。かつては、両親＋子ども2人の4人家族が定番でしたが、子ども1人の3人家族が増えていると実感します。1部屋分のスペースが浮くので、子供部屋を6帖にしても他にしわ寄せが行かない訳です。しかし、小学生のうちからスマートフォンを手にして居心地のよい部屋で過ごすことには注意が必要です。また、1部屋浮いた代わりに夫婦の寝室を分ける事例も見られます。1人1部屋の個室が持てる時代なので、共用スペースの存在がより重要になります。

03. 3.75帖の子供部屋と共用スペース

イレギュラーなグリッドですが、家具も置ける絶妙な「狭さ」が魅力です。その分だけ共用スペースを充実させます

04. 4帖の子供部屋と共用スペース

単体では使いにくい幅ですが、8帖を二分する時に収納で間仕切りしたり、共用スペースとの組み合わせが必要です

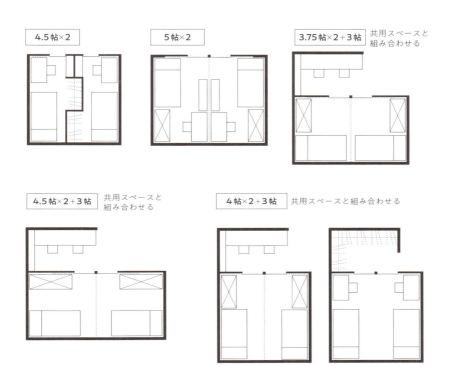

このようなスタディコーナーをつくることができれば、子供室はベッドと衣類収納だけで十分です

第2章　間取りの基本ルール　087

洗面室・浴室・トイレはユニットで考える

トイレは必ずしも隣になくても大丈夫ですが、洗面脱衣室と浴室は常にセットになり、トイレも一つにまとめる場合が多いので、基本は3点をユニットで考えます。

洗面脱衣室の広さは、洗面台と洗濯機が並んだ2帖のスペースが基準で、機能面ではこれで十分です。間取りを考えるうえでも2帖は扱いやすくメリットがありますが、できれば一方を1尺5寸（455mm）広げて、リネン収納のスペースを確保したいところです。ただし部屋を1尺5寸広げると、反対側に1尺5寸幅の余りが生まれるので、このスペースの活かし方も同時に考えなくてはなりません。たとえば、トイレを広げて洗面カウンターをつくる。リビングや廊下に収納をつくるなどです。

浴室の広さも2帖あれば十分です。「複数の子供と一緒に入るから広くしたい」という要望も聞きますが、その期間は果たして何年間あるでしょうか。もしお風呂が好きで入浴時間を楽しみにしている方であれば、他のスペースを削ってでも浴室を広くしてください。

トイレの広さは1帖を基本としますが、広さとしては奥行きを1尺（300mm）詰めても問題ありません。逆に幅を1尺～1尺5寸広げて、手洗カウンターや収納をつくるのもお勧めです。しかし、間取りをつくるうえで扱いやすい大きさはやはり1帖なので、特に希望

01. 2帖＋2帖＋1帖の基本ユニット

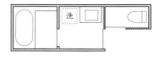

「浴室2帖＋洗面室2帖＋トイレ1帖」の基準サイズ。トイレをLDから見せないバリエーションが必要です

がなければ1帖で考えましょう。

　トイレの配置にはいくつかのパターンがあります。最も一般的なのは、トイレ専用の部屋をつくり、単独の出入り口がある「独立型」です。トイレだけを離して設けることもでき、使い方の面でも多くの人に馴染みがあるので、トイレのスタンダードと言えます。

　次は、洗面室内に洗濯機と便器が並ぶ「集合型」です。「独立型」では各々に必要な窓と出入口が、「集合型」だと1カ所で済むため設計が楽になります。具体的には、トイレのドアがないので、リビングと水回りが廊下なしで接していても嫌な感じになりません。また、窓が一つ減ることは外観デザインの面で有利です。

　一方、住まい手の立場から見ると問題はあります。先ずは落ち着かないこと。3帖ぐらいの広い空間に便器があって、一人で座っている姿を想像してください。きっと年配の方ほど抵抗があるのではないでしょうか。それを解決するには、洗面室内でトイレだけを引戸で閉じる「区画型」がよいでしょう。

　「集合型」と「区画型」に共通の短所は、入浴中に他の家族がトイレを使えないこと。トイレが別にもう一つなければ、この形は採用できません。逆に共通の長所としては、入浴中に子供が尿意を催しても、裸のままスムーズにトイレへ連れて行けること。あくまで幼児がいる一時期の話ですが、これは確かに便利です。

　オプションとして、洗面室を洗面機能と脱衣機能に分ける方法もあります。脱衣室を浴室の前室として独立させ、洗濯機を置いたり、リネン収納を設けたりします。そうすると洗面室は生活臭が消えるので、ホテルライクな演出がしやすくなりますし、来客が手を洗ったり、お化粧直しをしたりするのにも使いやすくなります。また、必ずしも戸を設けて「室」にする必要がなくなり、洗面コーナーとして廊下の一部に設けることもできます。

02. 収納を設けて洗面室を広げる

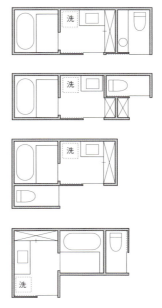

基準サイズだと収納が不十分なため、洗面室を1尺5寸か3尺広げます。LDとの関係で形が変わります

03. 脱衣室と分けて洗面コーナーにする

脱衣室を独立させて洗面を外に出した形で、合わせて3帖（全体で6帖）以上あれば成立します

04. 洗面脱衣室と分けて洗濯室をつくる

洗濯機を洗面室の外に出して洗濯室（家事室）をつくる形で、全体で7帖必要です

05. 洗面室を経由するトイレ

トイレは基本的に独立させますが、面積に余裕がない時や廊下が取れない時は「区画型」で解決できます

06. 洗面室の中にトイレを設ける

日本人には馴染みにくい形ですが、省スペースで建具・窓・手洗器も省けて効率的。慣れれば意外と便利でもあります

07. 洗面脱衣室を広げて室内物干場を兼ねる　藤沢T邸｜平面図（S＝1:200）

洗面台や入口の前を避けて室内干しができます。海遊びから帰ったら、勝手口から浴室に直行です

洗面台、洗濯機、収納が並べば3帖（この家は3.5帖）は必要になり、必然的に室内干しスペースも確保できます

08. 洗面台を外に出して洗濯脱衣室にする　横浜T邸｜平面図（S＝1:200）

コロナ禍では、帰宅時の手洗いに有効な玄関近くの洗面台が増えました

洗面台がないので作業台（下部収納）が広く、物干金物も2本あります

トイレ・浴室・玄関の交点にあるため、さまざまな場面で使いやすい洗面コーナーです

第2章　間取りの基本ルール　091

09. 洗面脱衣室と分けて洗濯室をつくる　川崎Y邸｜平面図（S＝1:200）

広い洗面台のある脱衣室。風呂上がりに洗面台を使う人にはやはり便利です

収納と作業台を備えてガス乾燥機も設置。室内干しした洗濯物も邪魔になりません

脱衣室（浴室の前室）に洗面台を残して洗濯機を外に出した形。2室で4帖の広さが必要です

10. 洗濯室の近くにWIC（ファミクロ）をつくる　横浜T邸｜平面図（S＝1:200）

洗面コーナー＋洗濯脱衣室の形。帰宅時や来客も使いやすい洗面台です

家族が普段使いする衣類やカバンなどを置くロッカーのようなスペースです

WICを1階にすることで、洗濯動線だけでなく帰宅時の動線も短くなります

092

11. 水回りから直に出られる物干デッキ 横浜O邸｜平面図（S＝1:200）

洗面コーナー＋洗濯脱衣室の形で、脱衣室に室内干し金物も備えています

洗面の横から出る物干場。南面なので日当たりがよく、リビングからも見えません

外干しの場合は洗濯機と物干場が近いことがベスト。この家は洗面コーナーを経由しますが、その距離わずか2.5mです

12. バルコニー近く（2階）に水回りを配置する 藤沢M邸｜平面図（S＝1:200）

洗濯機のある洗面脱衣室からバルコニーまでの距離は4.5m。階段の上り下りもありません

バルコニー手前は作業台のある家事コーナーで、室内干しもできます

日当たりのよいバルコニーを物干場にするのは一般的ですが、洗濯機が2階にあると洗濯動線が格段に楽です

第2章　間取りの基本ルール　093

09

階段の心得

1階と2階をつなぐ階段は、間取りを考えるうえでとても重要な要素です。「1階と2階の間取りを別々に考えたら上手に出来たが、上下が上手く重ならない」という経験はないでしょうか。これは、階段がなければ間取りをつくるのが易しくなることを示しています。つまり、階段は最初から考えておかなければならず、階段の形や必要なスペースについて、幾つかのバリエーションを頭に入れておく必要があります。

階段一段の高さは蹴上（けあげ）と呼び、階高と段数によって決まります。階高が高いと、段数が増えるか蹴上が大きくなり、階高が低いとその逆になります。一段の幅を踏面（ふみづら）と呼び、階段の上りやすさは蹴上と踏面の比で決まるのですが、年を取れば誰しも、蹴上の低い階段のほうが楽に昇降できるのは当然のことです。後で述べますが、平面的には階段を13段にするのが都合良く、もし階高3,000㎜の家であれば、蹴上寸法は230㎜とかなり高くなってしまい、階高2,730㎜でも蹴上210㎜になります。

私は階段の蹴上寸法を200㎜以下に抑えるため、階高2800÷段数14を基準に、階高を2,730㎜にして蹴上195㎜にすることも多いです。段数13で納めるためには階高を2,600㎜以下にする必要があり、斜線制限が厳しい敷地でない限り、一般的な階高としては低過ぎると思います。ただ、建築家の設計で見かけるような、高さを2,200㎜程度に抑えた低い天井や、2階床下地を現わしにした根太天井にすれば大丈夫です。

階段の種類は、直進階段（鉄砲階段）と折り返し階段（回り階段）が基本ですが、両者を組み合わせた矩折れの階段が意外に優れモノです。直進階段の平面寸法は、3尺×1間半=1.5帖を基本としますが、この大きさだと13段の階段になるため、14段にするためには1段はみ出すことになります。この1段を3尺角の踊場状にすれば、必要面積は3尺×2間=2帖に増えますが、三方向へ出られる形になるため、間取りへの対応力が上がります。

折り返し階段の平面寸法は、1間×1間=2帖を基本とし、回り段を四つ割りにすると13段、五つ割りすると14段、六つ割りにすると15段です。この六つ割りは、階高が高くても（3,000÷15段=200）階段を2帖のスペースに納

められるため、他所の住宅ではしばしば目にしますが、回り段の内側の踏面が狭く危険です。特に小さい子供や高齢者のいる家では止めておくのが賢明だと思います。五つ割りは14段にできるというメリットだけでなく、回り段と直進部分の歩幅・リズムが変わらないので、昇降しやすい階段としてお勧めです。

直進階段や折返し階段は想定しやすい形なので、どちらかを思い浮かべて間取りを考え始めることが多いでしょう。それに対して矩折れ階段は、吹抜けとセットにする場合を除き、アドリブの要素があります。直進階段だと無駄な廊下ができるとか、折返し階段だとリビングが狭いなど、間取りが硬直した時の助け舟になることがあるのです。矩折れ階段で間取りを解決した時は爽快です。

次に、階段の特徴について見てみましょう。直進階段は、1階の上り口と2階の下り口が反対になるので、その位置を常に意識しながら間取りを考える必要があり、やや難しさがあります。また、幅が3尺しかないため、階段の存在感を弱めることができ、間口の狭い家や小さな家では重宝します。逆

[**階段の基本パターン**]

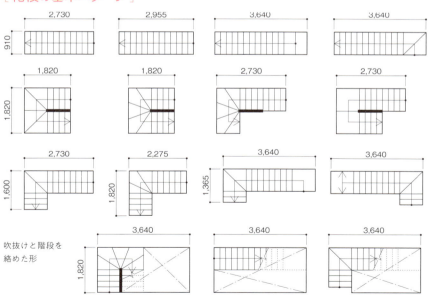

吹抜けと階段を絡めた形

○ 基本は1間半を13段で割った直進階段か、1坪を13(14)段で昇降する回り階段
○ 階高を高くしたり蹴上を低くしたりした場合、余計に距離が取られるので間取りに制約が出る

第2章　間取りの基本ルール　095

01. 間取りと階段の種類

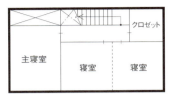
間口2間半以下の建物には直進階段

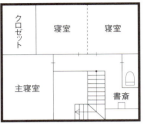
南側吹抜けには矩折れ階段が合う

02. 折返し階段の位置

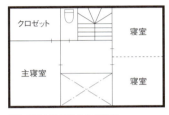
2階:2階中央に置くのが基本

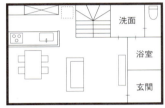
1階:右回り・左回りの判断は最後に

03. 直進(矩折れ)階段の位置

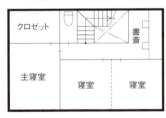
2階:2階中央から下りるのが基本

1階:1階では中央から上らない

04. 2階リビングの階段

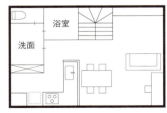
2階:2階は階段＝LD空間になる

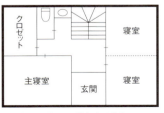
1階:階段と玄関は1階中央が基本

に、吹抜けの中に直進階段を設けると存在感が際立つので、デザイン要素として直進階段を用いる例もあります。

　折り返し階段は、上り口と下り口の位置が同じになるため、間取りを考えるうえで分かりやすいというメリットがあります。また、右回りにするか左回りにするかは間取りの大勢には影響がないものの、右回りなら成立しない場合でも左回りでなら成立する間取りもあり、最後まで判断を保留できるメリットもあります。

　どちらの階段を使うにしても、寝室や子供部屋の集まるフロアでは、中央に階段を配置するのが基本です。そうすることで廊下が短くなり、無駄な面積を減らすことができます。一般的な家では2階中央から下りる形になり、2階リビングの場合は、逆に1階中央から上る形になります。後者の場合、玄関も1階中央に配置すると廊下をなくすことができます。

05. 基本は1坪に収まる折り返し階段　横浜T邸｜平面図（S＝1:200）

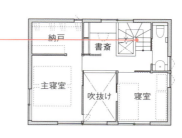

1坪に収められる折り返し階段は汎用性が高いので、間取りをつくるうえで頼りになります

折り返し部分を5段回りにすると意外なほど歩きやすく、蹴上げも200mm以下に抑えられます

第2章　間取りの基本ルール　097

06. 段数を増やして少し広げた折り返し階段　大和O邸｜平面図（S＝1:200）

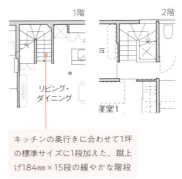

階段が緩ければ高齢になっても2階が使えます。2階の下り口には冬の冷気止めに引戸を入れています

キッチンの奥行きに合わせて1坪の標準サイズに1段加えた、蹴上げ184mm×15段の緩やかな階段

07. 建物幅が狭い時は直進階段　町田T邸｜平面図（S＝1:200）

折り返し階段の1間幅が部屋を狭くするので、直進階段を使います

1間半の「標準」直進階段の前後に、間取りに馴染ませやすい3尺角を1段ずつ加えた、蹴上げ180mm×15段の階段

08. 階段を主役にしたい時は直進階段　逗子T邸｜平面図（S＝1:200）

壁で囲わない直進階段はオブジェのような存在感です。手摺のつくり方でデザインも大きく変わります

リビング空間を邪魔しない位置に、吹抜けと絡めて配置するのがポイントです

09. 間取りに納まりやすい矩折れ階段　大磯M邸｜平面図（S＝1:200）

見た目は直進階段に近いので、階段下をスタディコーナーなどに利用できます

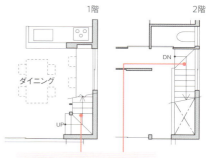

直進階段は方向性が強いので、ときに間取りを分断しやすく、初めか終わりで横に曲がる矩折れ階段のほうが扱いやすいです

第2章　間取りの基本ルール　099

10. 南側の吹抜けと一体の矩折れ階段 鎌倉K邸｜平面図（S＝1:200）

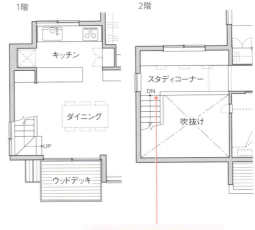

吹抜けの中を上がっていく階段は存在感があります。ブビンガの手摺がアクセントになっています

2階より1段低い「準2階」にスタディコーナーがあり、そこまで蹴上げ210mm×12段で上がる少しだけ急な階段です

11. 距離を稼いだ優しい折り返し階段 藤沢K邸｜平面図（S＝1:200）

階段手摺は外側に設置すると途切れなく連続するので、高齢者宅にはお勧めです

蹴上げ180mm×15段の階段で、実質的に3帖のスペースを使います。階段を緩くすれば間取りへの影響も大です

100

⑩ 吹抜けは開ける場所と大きさが大事

吹抜けは必ず設けるものではありませんが、隣家の影響で日当りが悪い敷地、子供がいて1階と2階をつなげたい場合、空間的な広がりがほしい場合などにつくります。上記の理由から考えて、吹抜けはリビング・ダイニングのうえにつくるのが基本です。玄関やキッチンと2階をつなげるのは百害あって一利なし。和室（客間）の上が空いているのも問題があります。日照を助ける場合は、当然ながら南側に設けますが、採光や空間的なつながりが目的であれば、北側であっても問題はありません。北側のほうが光は安定しているので、明るさの面では逆によい

01. 南側にあるLD上部の純粋な吹抜け
鎌倉K邸｜平面図（S＝1:200）

4帖半の吹抜けは、ダイニングに開放感をもたらすとともに、2階の明るさを1階に伝えます

隣地に3階建てが建つ可能性を懸念して南側に設けた吹抜け。1階と子供室をつなげます

第2章　間取りの基本ルール　101

とも言えますし、2階の部屋を南側に取れるのもメリットです。

　吹抜けの大きさにこれといった決まりはありませんが、小さ過ぎると1階と2階のつながりは弱くなり、大き過ぎると構造的に弱くなります。その観点から言えば、最低限の大きさは3帖、最大で8帖くらいではないかと思います。

　吹抜けが床面積に入らないのは確かですが、その分だけ家が大きくなるので工事費は増えます。面積に余裕のない家の場合、最小限の吹抜けで最大限の効果を発揮するには、階段と吹抜けをセットにする方法が有効です。たった2帖の吹抜けでも、階段スペースの2帖と並べることで、空間的には4帖の吹抜けがあるのと同じ効果があります。階段は北側に設けることが多いので、北側の吹抜けに有効な方法ですが、直進階段（矩折れ階段）と南側の吹抜けも相性がよいでしょう。

　「吹抜けは寒い」と思われている方もいると思います。断熱・気密性の低い住宅では、1階に冷気がどんどん下りてきて寒くなるのは確かですが、断熱・気密性の高い住宅では1階と2階の温度差が小さいため、熱の移動は少なくなります。逆に吹抜けが家を1室化するので、1台のエアコンで2階から1階まで冷房したり、床暖房や床下暖房で1階から2階まで暖房したりできます。

02. 北側にある階段と一体の吹抜け
伊勢原K邸｜平面図（S＝1:200）

1階のダイニング&スタディコーナーと2階のホビースペースがつながる、気持ちのよい空間です

2階は南側に居室、北側に階段の家が多いはず。階段と一体の吹抜けは、少ない面積で大きな効果が得られます

11

廊下をなくす工夫

　昔ながらの日本家屋には廊下がほとんどなく、部屋から部屋へと渡り歩く間取りでした。戦後、家の中にダイニングキッチンや寝室等、目的別に部屋がつくられると、それに伴って廊下も増えます。玄関を入ると廊下が奥へ延び、居間やダイニングと水回りを隔てました。2階は個室を並べて廊下でつなぐ、ホテルのような間取りが普及しました。

　この廊下は、現代の住宅にさまざまな弊害をもたらしています。一番は風通しを阻害していること。風は入口と出口がなければ流れないのですが、廊下を挟むことで風の通り道が遮断されてしまいます。特に、南側の部屋と北

01. 廊下を最小限にして、広がりのある空間に
平塚K邸｜平面図（S＝1：200）

廊下と呼べるのはトイレと勝手口前の1.5帖だけで、和室の襖を引き込めば、階段前はリビングの広がりに取り込まれます

02. 廊下を広げて室内物干場に
海老名H邸｜平面図（S＝1：200）

部屋やバルコニーへの動線としては3尺幅で十分ですが、1間に広げることで本棚のある室内物干場に変え、採光と通風も改善します

第2章　間取りの基本ルール　103

側（部屋や水廻り）を分断する中廊下はよくありません。

次に、廊下は家を狭く感じさせます。廊下によって部屋どうしは分断され、各々の部屋の面積はそれ以上にはなりません。隣の部屋（空間）と一体にすれば、面積は増えなくても確かに広く感じることができます。大きな家でもない限り、限られた面積を廊下に充てるのは勿体ないと思うのが自然です。

さすがにリビングからトイレが見えたり、子供部屋を経由して寝室に入るのは嫌なので、寝室や水回りの前には機能的に廊下が必要です。つまり完全に廊下をなくすことはできませんが、「短くする」ことが大切なのです。

「広くする」ことで廊下を「なくす」方法もあります。子供室の前の廊下を広げてスタディコーナーにするのです。そこは単なる通路ではなくなり、風も流れやすく親子の接点も生まれます。水回りへの廊下も広くすることで、洗面コーナーや家事コーナーになり、スペースを有効に使うことができます。

03. 階段と廊下が並ぶと、採光・通風を得やすい
茅ヶ崎H邸｜平面図（S＝1:200）

3尺幅の廊下ですが、直進階段とセットにすることで空間は1間幅になり、採光、通風、気持ちよさが大きく改善されます

04. 廊下を広げて明かりだまりと家事スペースに
平塚T邸｜平面図（S＝1:200）

2階全体を明るくするには、部屋を南側でなく北側に並べ、南側を広く空けておきます。そこを吹抜けと奥様の家事スペースにしました

12

間仕切りは引戸で

　昔ながらの日本家屋は、柱と梁で組んだ木造軸組み工法で、壁を立ち上げる組積造とは構造が根本的に違い、部屋境は壁ではなく「間仕切り」という概念でした。また東アジアの高温多湿な気候の下では、兼好法師が「家は夏を旨とすべし」と言ったように、夏の暑さ対策が重要でした。その点、日本家屋は間仕切りの建具を開け放つことで風通しを良くして、快適に過ごすことができました。

　現代の暮らしを考えると、壁のない家は住み辛いと思いますが、間仕切りや出入口を開放するなど、通風を促す工夫はとても重要です。その第一歩は、出入口に引戸を用いることです。開き戸（ドア）は閉めた時が常態で、開け放しにすると邪魔になる建具です。それに対して引戸は、閉めた時も開けた時も邪魔にならず、どちらも常態です。つまり、夏は出入口を開けたままにして、風通しよく暮らすことができます。

　引戸には、隣り合う部屋を繋げて一つの空間にする効果もあり、そのためには、引戸と開口部分の広さの関係を知っておく必要があります。

　柱が1間ピッチに立つ場合、1間幅の柱間に引違い戸を入れると半分の3尺しか開口が取れません。片方を壁にして、片引き戸にした場合も同様です。1間幅の開口を取りたい場合は、建具を柱間から外して（外付けして）引き込む方法が一つ。もう一つは、建具は同

引戸とドアの違い
○ 引戸は開けても閉めても常態なので、開け放して風を通しやすく、空間の繋がりも生まれます
○ ドアは閉めた時が常態なので、開け放して風を通しにくく、空間も部屋ごとに完結します

じ位置のままで、柱を芯ズレさせることで建具を引き込む方法があります。また、4寸角の柱幅には建具が3本入るので、柱を1間半ピッチにすれば3本の建具が片側1／3に集まり、1間幅の開口が取れます。同じ考え方で、柱間が2間の場合は4尺幅の建具を3本入れると、8尺（12尺×2／3）の開口が取れます。

柱間1間の開口部
- 柱間1間に納めた引違い建具は半分残るので、開口幅は3尺です
- 袖壁＋片引戸でも開口幅は3尺。出入口であればこれが一般的です
- 柱から建具を外せば、開口幅は1間になります

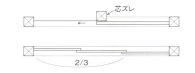

柱間1間半の開口部
- 柱間1間半の引違いか片引戸の場合、開口幅は半分の4.5尺です
- 1間半に3本立てか、3尺の袖壁＋2本引込戸で開口幅は2／3の1間です

柱間2間の開口部
- 柱を抜いて2間開口にした場合、4本引違いなら開口幅は1間です
- 中央の柱を芯ずれさせることが可能なら、同様に開口幅は1間です
- 建具を3本建てか4尺の袖壁＋2本引込戸で、開口幅は2／3の8尺です

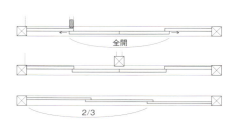

全開の開口部
- 柱間から外して建具の数だけ溝（レール）をつくれば、1間半でも2間でも全開口が可能です

01. 開口部分（1間）に合わせた幅1間の襖を引き込む　浜松M邸｜平面図（S＝1:200）

幅1間の建具は狂いも心配なので安易につくれませんが、1間の建具が動いた時の開放感は格別です

間口2間を4枚の襖で引き分けることも可能ですが、構造とテレビ台で壁が必要なため、壁と開口を1間ずつにしています

02. 開口部分（1間）を3尺の襖2本で引き込む　御殿場K邸｜平面図（S＝1:150）

1間を引き違い建具にすると、半分の3尺しか開きません。引き込むことで空間のつながりが生まれます

和室の間口が1間半なので、幅3尺の襖2本を壁の前に引き込んで、1間の開口をつくっています

03. 間口（9尺）の半分を開口（片引戸）にして広く開放　熱海S邸｜平面図（S＝1:150）

2室をワンルームにしているので、開口幅は2室合わせて1間半。廊下や吹抜けと一体の子供室です

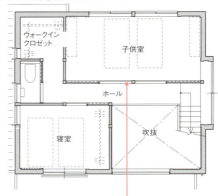

子供室の間口が1間半なので、半分の幅4尺5寸の引戸を入れました。3尺の引戸に比べて随分と開放的になります

04. 4枚並んだ襖を押入前に重ね、出隅を1間ずつ開放　多治見H邸｜平面図（S＝1:200）

1間の開口だけ見ればそれほど大きくありませんが、出隅（コーナー）が1間ずつ開くと大きな一体感です

4枚建ての襖は半分の1間が開口になるので、角の柱を挟んで隣り合う面も開口が1間になるよう、襖を引き込みます

13

間取りの基準は3尺グリッド

　伝統的な木造住宅の寸法は「間・尺・寸」で表し、今日でも多くの住宅で採用されています。1尺は303mmで3尺が909mm（便宜上、910mmにすることが多い）、1間は6尺で1,818mm（便宜上、1,820mm）です。この「3尺」が間取りを考えるうえでの基本グリッドになり、廊下やトイレの幅は、その最小単位である3尺になっています。また、1間×1間の広さを1坪と呼びます。部屋の広さや家の面積を表す時、100㎡と言われてもピンときませんが、30坪と言われると、一般の人でも家の大きさを想像できると思います。それぐらい

「間・尺」や「坪」は日本人に馴染んだ寸法体系と言えます。

　建築材料のサイズも「間・尺・寸」に基づいたものが多くなっています。柱・梁などの構造材は、1間半（2,730mm）のスパン用に3m材、2間（3,640mm）のスパン用に4m材が流通しています。木材以外でも、石膏ボードや合板、サイディング等のパネル材は3尺幅が流通しています。和紙やクロスも3尺または1m幅が一般的ですし、アルミサッシ（樹脂サッシ）も3尺や1間の柱間に合わせた寸法体系です。したがって、間取りのグリッドを3尺や1

01. 「間・尺・寸」の長さ、「坪」の大きさ

世の中の大抵のものはメートル法ですし、建築の世界でも図面の表記はミリメートルを使います。しかし住宅の単位、思考においては今でも「尺」「間」「坪」です

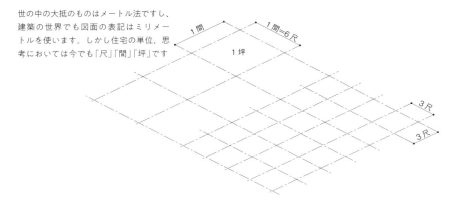

第2章　間取りの基本ルール　　109

間から外してイレギュラーな寸法にすると、材料に無駄が生じたり、特別な長さの材料を注文する必要が出てしまうので、経済的ではありません。特別な理由がない限り、流通材や規格品を活かして経済寸法でつくることも大切だと思います。

02. 1間、3尺のグリッドでつくる構造体

床梁は1間や1間半ピッチに架かりますが、剛床をつくるために甲乙梁を入れると、床に3尺角のグリッドが出現します

03. 1間グリッドでつくる住宅の空間

真壁の住宅は柱と梁が見えるので、3尺や1間の単位が目に見えます。間取りと架構が整合すると、美しい空間になります

14

1間グリッドに則ってプランニング

「3尺グリッドが間取りの基準」と書きましたが、これはあくまで「間取り」だけを見た場合の話です。柱や梁を見せる真壁の家では、2倍の1間グリッドで間取りを考えます。なぜなら、梁は母屋を受けるので、1間ピッチに梁を架けるのが合理的かつ経済的であり、その梁の位置と間取りが整合しやすくなるためです。1間グリッドを崩さずに間取りができれば、間取りと同時に梁の位置が決まり、架構にも無理がありません。伏図も一緒に描けてしまうので、プレカット業者任せになることもないはずです。

また大壁の家では、柱がどこに立っていようが見えないので、柱の位置を気にせずに間取りを考えられますが、真壁ではそうはいきません。柱が3尺ピッチに立っていると、非常に柱が目立ち、「うるさい」感じになってしまいます。その意味でも1間グリッドに柱と梁が並ぶと、見た目にも美しい空間になります。

そういう訳で、初級者は1間グリッドを必ず守って間取りを考えましょう。建物の外周は柱を1間ピッチに並

01. 1間グリッドに則った1階間取り
大和O邸｜1階平面図（S＝1:200）

1間グリッドに乗せて考えるのが間取りの基本です。玄関、浴室、洗面室、トイレなどがグリッド内にきれいに納まっています

02. 1間グリッドに則った2階間取り
2階平面図（S＝1:200）

2階の大きさを決める時に3間×4間の矩形を選び、1間グリッドに則って素直に考えた間取りです

べ、それを動かしてはいけません。開口部の大きさが制限されるだけでなく、部屋の取り方にも不自由さがあり、初めはかなり窮屈に感じると思いますが、逆にそれが狙いです。柱や梁の位置を意識しながら間取りを考える訓練です。

芸事や何かの技術を習う際、よく耳にする言葉に「守（す）・破（は）・離（る）」があります。先ずは言われたことを徹底して「守る」ということが大切で、それが身についてから初めて「破る」段階に行く訳です。間取りを1間グリッドで考えるクセを付けましょう。

03. 1間グリッドを基準にした2階床組み 2階床伏図（S＝1:200）

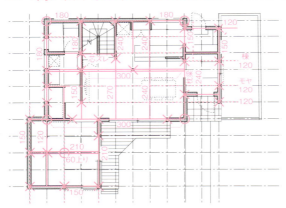

1階も2階もグリッドに則っているので構造に無理がありません。2階の床梁も素直に架けられ、室内に見せても綺麗です

04. 1間グリッドを基準にした小屋組み 小屋伏図（S＝1:200）

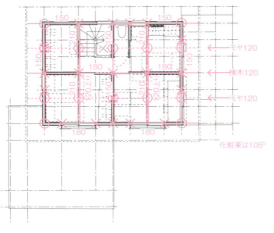

梁間方向は1間ピッチに素直に梁を架けられます。桁行方向は棟下に大梁を入れ、1間ピッチの梁スパンを9尺にしています

15

1尺5寸に刻んで間取り上手に

　1間グリッドや3尺グリッドで間取りを考えていくと、「あと少し」寸法が足りない場面があると思います。その場合は、3尺グリッドを半分に割った1尺5寸（455mm）を加えます。前述したように、キッチンの幅は1間では狭いので、7尺5寸（2,275mm）にして食器棚や冷蔵庫を収めたり、子供室の幅を7尺5寸にすることで、3.75帖や5帖の部屋をつくることができます。3尺幅が定番のトイレも、4尺5寸（1,365mm）に広げると手洗いカウンターが付けられます。玄関収納や食品庫も3尺幅では人が移動できませんが、4尺5寸にすると、無駄のない「ウォークイン収納」になります。

　ただし、1尺5寸広げると間崩れを起こしてしまうので、その裏側の1尺5寸幅の使い方も同時に考える必要があります。例えば、洗面室を1尺5寸広げて収納スペースをつくった場合、反対側にある納戸を1尺5寸広げて間崩れを吸収するという訳です。1尺5寸を上手に使う方法としては、奥行き3尺のスペースを半分にして、表と裏で使い分ける形です。奥行き3尺の押入は布団をしまうための大きさで、それ以外の物をしまうには深過ぎるので、使い勝手の面からも、1尺5寸ずつ両面から使う形がお勧めです。

　また、時には3尺を3分の1にした1尺（303mm）幅も使います。例えば、奥行き3尺のスペースを1:2に分けて、本棚とクロゼットを背中合わせにするのは定番の形です。トイレに手洗を設けるときにも重宝します。

幅を455mm広げて手洗カウンターをつくったトイレ

将来は子供室になる3.75帖の書斎

水廻りや個室などのグリッド別パターン

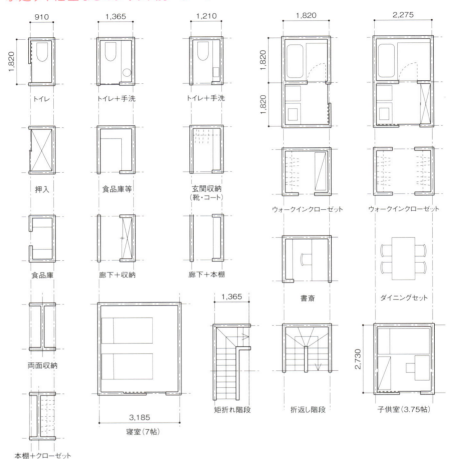

第 **3** 章

間取りと一緒に
考えること

01

間取りだけを考えても十分ではない

　間取りの基本ルールを押さえたら、次は間取り以外の要素に目を向けましょう。「間取り」そのものは平面を扱いますが、住宅の設計は平面計画だけではありません。高さや断面も同時に考える必要があります。

　まずは家の外形です。設計を始める時に最初に考えるのは、家の形を決めることです。間取りをつくった結果が形になるのではなく、形を考えて、そこに間取りを入れるという順番です。平面的には面積とフレームを決めることになり、立体的には家の高さや屋根の形を決める訳ですが、この時に「外観」という要素が登場します。

　外観デザインの基本要素として、「階高」「屋根」「開口部」があります。

　階高を抑えると建物のプロポーションがよくなり、間が抜けた姿にはなりません。控えめな佇まいは周囲にも好印象を与えます。そして、日本建築は「屋根の建築」と言われるぐらい、デザイン以前に機能として、屋根がとても重要な役割を果たしてきました。最近では屋根のない（屋根を見せない）家もありますが、雨の多い日本で屋根はとても大切な部位であり、屋根のデザインを疎かにはできません。開口部は、大きな窓、小さな窓、中央の窓、端に寄った窓など、その位置や大きさで外観デザインが大きく変わります。特に2階建ての家は、壁が大きいぶんだけ窓の配置が重要になります。

　屋根の構造にはいくつかの種類があり、構造的な特徴も違えば、間取りとの親和性も異なります。屋根の形に加えて、「矩計（かなばかり）」と呼ばれる断面計画により、室内空間が大きく変わります。外観で触れた「階高」以外に、「天井高さ」「内法高さ」「軒下高さ」など、抑えておくべき高さ寸法がいろいろあります。間取りを考える時は、平面上でパズルをするだけではなく、矩計と屋根についても同時に考えることが必要で、それによって立体感のある間取りにすることができます。

　外観や屋根について考えだすと頭が痛くなります。なぜなら、わが国の住宅地を眺めると、施主の好みや設計する人の都合で、家のデザインはバラバラだからです。建築や住宅に拠って立つ基準がないのは、文化よりも経済を優先する国民性のため、仕方がないのかもしれませんが、「向こう三軒両隣り」との調和ぐらいは考えたいものです。

02

階高を抑えるとよいことづくめ

　階高を低くするとは、家の高さを小さくするということです。「小さくする」と聞いて、損をしていると思う人が多いかもしれませんが、それは間違いです。見栄や体裁を気にする人、天井が高くないと気が済まない人を除いて、家の高さを小さくして悪いことは何もありません。むしろよいことが幾つもあります。

　隣家との距離を十分に離して建てられる広い敷地では、さして問題になりませんが、都心部をはじめとした市街地では、地価が高いので宅地面積が狭く、敷地いっぱいに家を建てることに

01. 斜線制限の影響を受けた建物

上：家を北側に寄せて建てると、屋根は北側斜線の影響をまともに受けます。下：寄棟の屋根が斜線に当たって切り詰められていて痛々しいです

02. 階高の違いによる隣家への影響

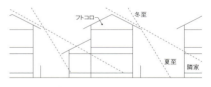

[高い家が隣家に及ぼす影響]

家の背が高いと冬の日影が長くなります。隣棟間隔が狭いと北側の家の日照を奪うことになります

[低い家が隣家にやさしい理由]

隣棟間隔が同じ場合、家の背が低くなれば北側の家に日射が届きます

第3章　間取りと一緒に考えること　117

なってしまいます。

　第一種低層住居専用地域の北側斜線や、都心部にある一種高度地区の高度斜線という厳しい制限がある場合、一般的な階高で建物を設計すると、軒が出せなかったり、斜線の影響で屋根が削られたり、屋根を途中から折らざるを得ないことがあります。斜線の影響を受けたことが外から見て取れる外観は、決して美しいものではありません。斜線の影響を感じさせない建物にするには、低めの階高にしなければなりませんが、普段からその高さを意識することで、設計スタイルを大きく変えずに対応することができます。

　このように、住環境を守るために法的制限がかけられている地域は、設計の不自由さはあるものの、そこに住む人にとっては悪いことではありません。しかし特に制限がない地域の場合は、高さに対する自己規制が必要です。「容積率さえ守れば、後は目一杯建てられる」という発想で大きな家を建てたとしたら、北側隣家を筆頭に周囲に迷惑がかかってしまいます。それに加えて環境負荷も大きくなって地球環境にもよくありません。周囲に対する思いやりの観点からも、階高を抑えることは重要だと考えます。

　プロポーションを直訳すると「比率」や「均整」という意味になります。「プロポーションがいい、悪い」とは、主として人の体形のことを指して使う言葉ですが、建築にも当てはまる表現です。日本の古い民家は屋根の比率が大きい建物でした。茅葺き民家は屋根勾配が急なため、正面から見ると半分以上は屋根でしたし、板葺きの民家も瓦葺きの民家も壁の面積は大きくなく、存在感が強いのは屋根と開口部でした。ところが現在の住宅を見ると、屋根の存在感は限りなく小さくなり、窓も小さくなって壁ばかりが目立つ姿になっています。屋根のある家に

03. 屋根の存在感が大きな古民家

地域によって形式は違いますが、屋根と開口部の存在感が大きなことは日本民家の共通点です

04. 壁の圧迫感が強い片流れ屋根

片流れ屋根で勾配の高いほうは3階建てに匹敵し、外観に締まりがありません

しても、階高（屋根のある階の床面から桁までの高さ）が大き過ぎると、軒先と壁と開口部のバランスが崩れて美しくありません。屋根勾配が急な場合はある程度の桁高が必要になりますが、4寸前後の勾配であれば、階高を抑えることでプロポーションがよくなると思って間違いありません。

また、美しさだけではなく、実用面からも階高を抑えることは大切です。2章でも書きましたが、1階の階高が高いと、階段の段数を増やすか蹴上寸法を高くする必要が生じます。もし段数を変えずに蹴上寸法を高くすると、子供やお年寄りには使いにくい階段になってしまいます。逆に段数を増やすと昇降は楽になりますが、平面的に階段スペースが余分に必要となり、間取りを難しくしてしまいます。階段は立体なので、平面だけでなく高さの検討も必要で、階高はできるだけ低いほうがよいのです。

そのほかには、外壁の面積が小さくなり、室内の容積も小さくなることから、建築費を抑える上でも効果があります。階高が低いと天井も低くなるのが自然の流れですが、もし天井を高くしたい場合は、梁の下で水平に天井を張るのではなく、床梁や小屋梁を見せる形にすれば、階高は抑えても空間を広く使うことができます。具体的な方法については3章の後半で解説します。

05. 階高が大きく、屋根と窓のバランスが悪い外観

天井高さを取るために階高を高くすると、屋根と開口部のバランスが悪くなり、美しくありません

06. 高さを抑えたプロポーションのよい住宅

高さを抑えているのでプロポーションがよく、大きな家でありながら、周囲に圧迫感を与えません

03

2階の形を単純にして端正な屋根にする

　古い町並みを歩いたことはあるでしょうか？ 1軒1軒の家を見るとまったく同じという訳ではありませんが、並べて見た時に周囲の家と調和が取れていて、非常に美しいと感じます。屋根や壁の素材が同じため、色合いに統一感が取れているのも大きな要因ですが、建物の外形を見ると、屋根の形が揃っていることが大きなポイントです。

　翻って現代の住宅地に目をやると、さまざまなハウスメーカーや工務店が、歴史的・文化的脈絡を無視した各

01. 調和のとれた古い町並み

郡上八幡の町並みです。気候風土と文化に育まれた日本の家は、改修されながら今なお現役です

02. 古い町並みのファサード

有田の町並みです。同じような家が繰り返されている訳ではなく、調和の中に個性があります

03. バラバラなデザインの分譲地

土地が分譲されると、各自が好きなデザインの家を建てていき、住宅展示場のようなあり様です

04. 統一感があっても…

同じ会社が大量につくる分譲住宅は、確かに統一感が取れていますが、外国風の町並みには閉口します

自のスタイルで家を建てているため、「周囲との調和」は望むべくもありません。残念ながら日本では、分譲住宅を大規模に建設する以外、住宅地全体や町並みを統一感のある姿にするのは困難と言えます。

そこで、「せめて2階平面を単純な四角形にして切妻屋根を架けよう」と呼びかけたい気持ちです。2階の屋根が揃うことによって家のスカイラインが整い、随分と町並みの調和が感じられます。

2階の平面形状を単純にするもう一つの理由は、構造面です。2階建て住宅の構造は「1階＋2階」ではなく、「総2階＋下屋」の構成が基本です。なぜなら、1階を造ってその上に2階を載せる建物だと、構造的に不安定になるからです。一般的な住宅であれば、2階の間取りは、最適な大きさの矩形（四角形）を見つけることから始めます。

05. ギザギザ平面の切妻は不格好

2階平面がノコギリのようにギザギザすると、切妻屋根も細かく刻まれて不格好です

06. ギザギザ平面の寄棟も残念

寄棟屋根は切妻ほど目立ちませんが、連結した列車のような姿で美しくありません

07. 屋根の切り伸ばしはお粗末

建物の凹凸に合わせて、ただ屋根を伸ばしたり短くしています。これで設計しているとは言えません

08. 矩計平面の2階と切妻屋根

2階は無闇に凹凸をつくらず、「矩形平面にして切妻屋根をかける」だけで町がきれいに見えます

第3章　間取りと一緒に考えること

09. 安定の構造と不安定な構造

2階を矩形にするのは、初めに安定した上屋をつくるためです。過度に凹凸する2階は、付け足し間取りの証なのです

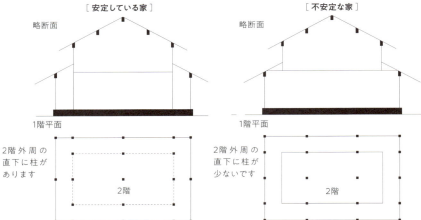

[安定している家]　　　　　　　　　　[不安定な家]

略断面　　　　　　　　　　　　　　　略断面

1階平面　　　　　　　　　　　　　　　1階平面

2階外周の直下に柱があります　　　　　2階外周の直下に柱が少ないです

2階　　　　　　　　　　　　　　　　2階

10. 家の大きさと架構の変化

2階平面の四角形が、そのまま丈を伸ばして2階分の高さになるのが「総2階」です

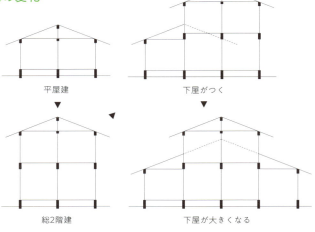

平屋建　　　　　　　　　　　　下屋がつく

総2階建　　　　　　　　　　　下屋が大きくなる

04

開口部の考え方

　窓の役割と言ってまず思い浮かぶのは「採光」ですが、高温多湿な日本の気候では、採光だけではなく「通風」も重要です。したがって間取りをつくる際には、採光と通風を考えながら窓の位置を決めていきますが、それだけでも十分ではありません。なぜなら、窓の位置や大きさは外観デザインの大

01. 間取りだけで窓を決めた住宅

家の北側でよく見かけるのが、このように小窓がバラバラに付けられた外観です

02. 窓の並びが個性的な住宅

窓の位置だけでなく、種類も個性的で統一感がありません。道路側は見られる意識が必要です

03. 壁の少ない日本家屋の外観

室内と庭との一体感、親和性などをつくり出す開口部のあり方は魅力的で、これを無視できません

04. 壁の少ない日本家屋の開口部

耐震性や断熱性を考えると、このように壁の少ない住宅をつくることは困難が伴います

きな要素だからです。間取りの都合だけで窓を決めてしまうのではなく、外からどう見えるかも踏まえて、窓の大きさと位置を決定します。

建築デザインの観点からは、窓の数をできるだけ減らすのが理想です。数が多いと、どうしても大きさ、位置、高さなどを揃えることが難しくなり、まとまりのない開口部、まとまりのない外観ができてしまうためです。しかし、明るさや風通しを確保するためには、窓を大幅に減らすことは現実的ではありません。

一方、日本の風土で培われた建築の形といえば、柱と開口部が連続する壁の少ない外観です。屋根が大きく軒が深いことと併せて、日本建築の特色になっており、今日においても、将来にわたっても継承すべき姿だと思います。しかし、壁が極めて少ない建物に

05. 開口部を連続させた外観1（角地の家）

隣り合う部屋で窓を並べるなど、できるだけ開口部を連続させると、このような外観になります

06. 開口部を連続させた外観2（夜景の家）

壁と開口部にメリハリを付け、耐震性を確保しながら、わが国らしい住まいに近づけます

07. 開口部を大きく見せる雨戸の戸袋

戸袋があると外壁の表面積が減り、開口部が大きく見えます。戸袋を木でつくるのがお勧めです

08. 小窓を揃えて配置した外観

北側と西側にある小窓を上下や左右で揃えました。どれが階段の窓か分からないようにしています

すると、耐震性が弱くなり、構造計算等で安全性を確かめるのも容易ではなく、これまた現実的には困難が伴います。

そこで両者のよいところ取りをすると、こんな考え方になります。

①窓はできるだけ連続させる。二つ並べることで、室内からは景色が連続し、外からは開口部を一つに見せる効果があります。

②不用意に小窓を設けない。窓が取れそうな所をとにかく窓にするのではなく、本当に必要か否かをしっかり検討します。そして小窓を設ける場合も、横に並べて連続させたり、1階と2階で位置を揃えるなどして、外からの見え方に配慮します。

真壁の家を設計する場合、柱が1間ピッチに立ち、その柱間いっぱいに開口部を取ることが原則なので、小窓はそもそも空間に合いません。その点も注意が必要です。私が間取りをつくる際は、柱の位置を想定して1間の開口部を配置し、柱間が3尺になる部分があれば3尺の小窓を考えます。水回りや収納については部分的に大壁にすることも多いので、小窓を設けても問題ありませんが、窓の大きさや配置をしっかり考えながら平面に落とし込みます。そして、外観パースを作成して開口部の見え方を検証し、上手くない部分は窓の大きさや位置などを変更して、間取りにフィードバックしています。このように「間取りの都合だけで窓を決めない」ことが大切です。

09. 竪格子で小窓を一体にした外観

小窓を並べた上で庇を連続させたり、一体の格子で覆うことによって、さらに一体化を図ります

10. 上下の小窓を竪格子で一体化

道路面の窓を減らして中央に寄せ、1階から2階まで連続する竪格子で開口部をまとめました

第3章　間取りと一緒に考えること　125

05

屋根は「切妻」だけで勝負する

屋根形状には幾つもの種類があります。しかし木造住宅で扱う主な屋根は、切妻屋根、寄棟屋根、片流れ屋根の3種類でしょう。地方では、社寺建築や和風住宅に見られる入母屋屋根も見られますが、新築される住宅としては少数派の域を出ません。積雪の多い北海道では、陸屋根で融雪する方式もあります。しかし陸屋根の場合、防水工事頼みという点を鑑みると、積雪の少ない一般地域に建てる住宅の屋根としてはお勧めできません。また、1階の部屋の上にバルコニーをつくる家もありますが、あれも構造は陸屋根と同じなので、永く住むことを考えると雨漏りの不安がつきまといます。

世の中には寄棟屋根が多くあります。メリットの一つは、外壁や屋根の面積が小さくなってコストを抑えられることです。建物の周囲に同じ高さで軒が回るので、外壁が汚れにくく雨仕舞いがよいのもメリットです。そして凹凸のある複雑な平面でも必ず屋根が架かるので、深く考える必要がありません。しかしその結果として、北側に細かな凹凸がある間取りがつくられ、ちまちました屋根が出来上がります。家は小さいのに、平面や屋根が複雑過

ぎるのは美しくありませんし、付け足しの屋根、付け足しの間取りを助長しているようで、お勧めできません。平屋建てのような大きな平面の住宅が寄棟屋根の場合は、軒が水平に回る姿に風格が感じられ、非常に美しいと思いますが。

最近では片流れ屋根も増えつつあります。大きな空間になるのでロフトをつくりやすいこと、屋根の存在感を消して箱のような建物にすると格好よく見せられること、コストが安くなる面も大きな理由でしょう。しかし屋根の軒を出すと、見た目はぱっとしません。特に勾配が上っていく方の立面は、壁が大き過ぎて間が抜けてしまいます。屋根の構造が単純なため、平面に多少の凹凸があっても、1枚の屋根を被せるだけで済ませられて簡単です。最大の難点は、風景に溶け込まないことです。住宅密集地や北側斜線の厳しい地域で、居住性を高めるための苦肉の策であれば仕方ないと思いますが、ふつうの住宅地、特に郊外の住宅地にあれが建っていると、ぞっとします。何十年、何百年残る日本の風景としては、いかがなものかと思うのです。

そこで切妻屋根の登場です。高床式

01. 屋根の種類

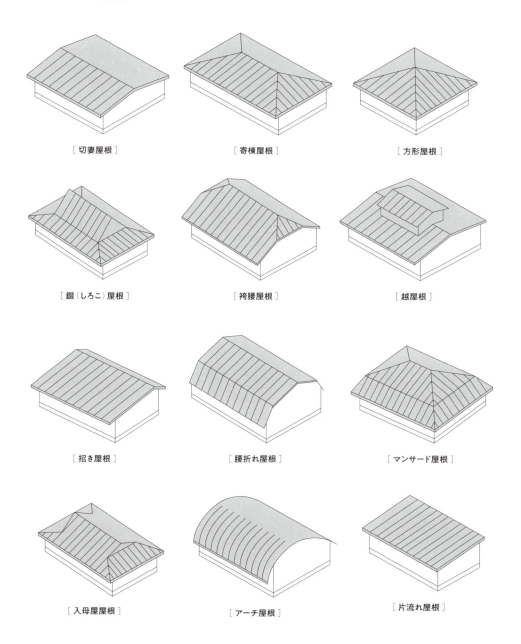

[切妻屋根]　[寄棟屋根]　[方形屋根]

[錣（しころ）屋根]　[袴腰屋根]　[越屋根]

[招き屋根]　[腰折れ屋根]　[マンサード屋根]

[入母屋屋根]　[アーチ屋根]　[片流れ屋根]

倉庫や古代の神社建築を見ても、屋根の原型は切妻屋根ですし、この単純な形が合理的であることは自明です。古い日本の家は切妻屋根か寄棟屋根が多いので、町並みや風景に溶け込むのも間違いありません。ほかの屋根と違って妻（三角形の壁面）があるのが特徴で、それゆえに、窓の取り方が下手だと外観が格好悪くなりやすいのが難点

で、妻面を意識したデザインが求められます。単純な矩形の平面では、ほかの屋根と同様に構造も形も単純ですが、平面が複雑になると、寄棟や片流れのように簡単に屋根が架かりません。ルールが厳格なことが、逆に平面形状を安易に複雑にすることを妨げる防波堤のようで、頼もしい存在です。

02. 切妻屋根
屋根の最も基本的な形で、大棟（屋根の稜線）から両側に2枚の屋根を葺き下ろすシンプルな形状です

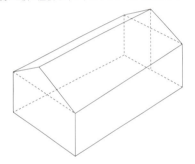

03. 寄棟屋根
長方形平面の4面から棟に向かって勾配屋根をつくる形で、大棟と4つの隅棟で構成されます

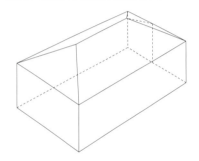

04. 入母屋屋根
寄棟屋根の大棟を延ばして妻壁をつくった形で、寄棟屋根の上に切妻屋根を載せた形状です

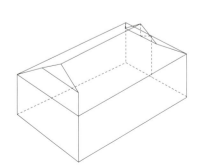

05. 片流れ屋根
片側の桁が高く持ち上がり、1枚の屋根面が片方だけに傾斜した単純明快な形です

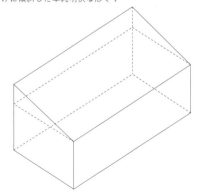

06

小屋組と間取りの関係

　屋根をつくる構造のことを小屋組と呼びます。小屋組にも種類があって特徴が異なるため、それらの違いを確認します。

　木造の屋根架構で最も単純な「垂木構造」は、水平に入れる梁を省略して、棟木から桁に垂木を架けただけの単純明快な構造です。水平部材がないので、垂木と野地板で緩勾配の水平構面を構成し、その緩勾配を生かした空間が室内に現われるという魅力があります。しかし切妻屋根の場合、屋根の流れが1間半、梁間3間が構造的限界のため、規模の小さな家にしか適応できないのが弱点です。さらに、間取りに対する制約が厳しく、構造に間取りが従わなければならない窮屈さも難点です。

　「登り梁構造」は、桁と棟木の間に屋根勾配なりに登り梁を架け渡し、母屋を介して垂木を流す構造です。垂木構造と同じく水平部材がないので、すっきりとした内部空間がつくれる反面、平面剛性は勾配なりに考えるしかありませんし、登り梁が横に開こうとするため、開きを抑える部材が必要です。また、大空間とは相性がよいのですが、細かく間仕切りを入れる間取り

だと、構造特性を生かしきれません。これらの欠点を補うため、構法的な純粋性や潔さは失われますが、登り梁と水平梁を併用する場合もあります。

　登り梁構造のメリットは、前述のすっきりとした内部空間に加えて、梁の断面を大きくすることで、垂木構造よりも大きな空間がつくれることです。さらに、登り梁を建物の外まで延ばして3尺先に母屋を入れれば、軒を1間程度出すこともできます。この深い軒の出は、登り梁だからこそ成せる技です。

　「洋小屋」は文字通り外来種で、トラスとも呼ばれ、木材の圧縮強度と引張り強度の高さを生かした合理的な小屋組です。小さな部材で大きな空間を支持できるのがメリットで、学校や工場といった大規模な空間にも使うことができます。小さな部材と金物接合の小屋組なので、室内空間として見せるには不向きであり、原則として小屋組の下に水平に天井を張ります。

　「和小屋」は、「地廻り」と呼ばれるほぼ水平に架け渡して固めた桁や梁の上に、束と母屋を組んで屋根垂木を支える構造です。小屋梁を水平に固めることで、構造を地廻りの上下で分けて

第3章　間取りと一緒に考えること　**129**

考えられるため、直下の間取りに関係なく、どのような屋根でも乗せることが可能です。この間取りに対する融通性が和小屋のメリットですが、その技術を前提に、かつ天井を張って小屋組を隠してしまうため、屋根は後から考

01. 垂木構造

主要な横架材が桁、母屋、棟木といずれも桁行方向の材なので、梁間方向の強度が弱いのが難点です

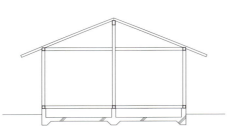

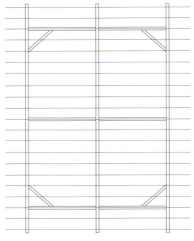

02. 登り梁構造

屋根面と平行の登り梁が1間または3尺ピッチにかかるので、すっきりとした大空間がつくれます

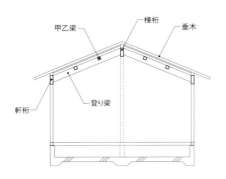

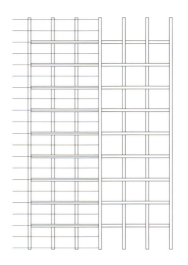

えればよいという悪しき慣習が一般化してしまいました。

通常の和小屋は3尺間に母屋が並び、母屋束を受ける梁が1間ピッチに架かるため、小屋組に束が林立します。この状態ではとても室内に出せな

03. 洋小屋
小さな断面の木材を合理的に組むことで、柱のない大きな空間がつくれます

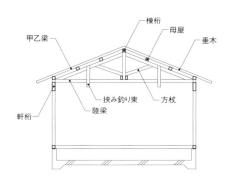
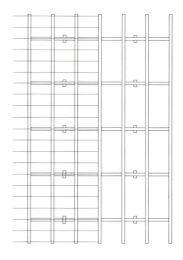

04. 和小屋
通常の和小屋は、天井裏に隠れることが前提で、小屋梁、束、母屋などが組まれています

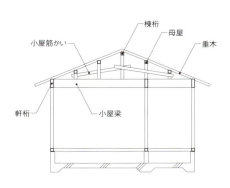
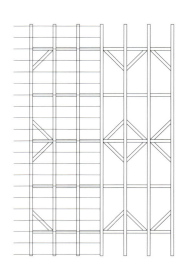

05. 和小屋+垂木構造

垂木の断面を大きくすることで母屋と束を減らし、小屋組みを見せられる形にした和小屋です

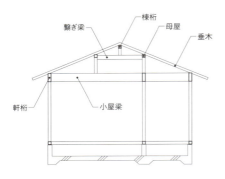

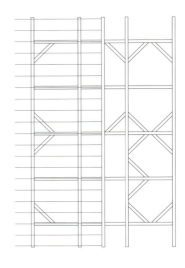

和小屋の梁・桁・母屋を露しにした空間。火打梁を隠すため、桁から3尺幅を水平天井にしています

勾配天井を限定することで火打梁の数を減らし、より素直に和小屋を露しにした空間です

いので、和小屋の場合、梁の下で天井を張って隠すことがほとんどです。そこで、和小屋に垂木構造や登り梁構造が持っているデザイン性を加えることで、民家のもつ力強さや美しさを表現する魅力的な架構に生まれ変わらせたいと思います。

具体的には、垂木のせいを3〜3.5寸に大きくして、母屋間隔を1間ピッチに広げます。そうすると束の数は減り、室内に見せても目障りではありません。小屋梁を化粧で見せながら、勾配天井や折上げ天井を駆使して魅力ある空間がつくれます。

07

屋根についての原則

屋根は「切妻」ということにしました。その切妻屋根を前提とした基本ルールがいくつかあります。①軒を出す。②屋根勾配は原則として統一する。③水平谷をつくってはいけない。これを順番に見ていきます。

「軒を出す」意味の一つは日射遮蔽です。軒が3尺出ていれば、夏の日中の日差しは大抵カットできます。軒がない家の南側に大きな窓があると、日射が直撃するので室温が上がり、夏は酷いことになります。ガラスの性能を上げたり、ルーバー取り付けたり、日射を防ぐ方法はほかにもありますが、軒を出すのが一番シンプルな方法です。

もう一つの意味は、雨から家を守ることです。軒のない家は雨が外壁に当たりやすいので傷みやすく、また、雨水が切れずに外壁を伝って汚れやすくなります。そして、屋根と外壁が接する部分の雨仕舞いも弱点です。一方で軒があると、雨が降っていても窓を開けておくことができます。雨が降るということは室内の湿度も高くなる訳で、窓を開けて風を流し、換気をしたいところですが、軒のない家だと雨が家の中に吹き込みます。エアコンを使えば済む、と言われればその通りです

が、まずは機械に頼らず快適に暮らせる方法を提案すべきだと思います。この点に関しては、全方向に軒がある寄棟屋根のほうが有利なのですが、2階にしか屋根がない総2階の建物の1階の窓は、寄棟も切妻も同じです。

したがって、上に軒が出ていない窓には庇をつける必要があります。総2階のような建物の1階の窓がそうですし、切妻屋根の妻面はケラバと呼び、窓の直上には軒がないので同じです。また、敷地が狭い場合や斜線制限が厳しくて軒が出せない場合も、窓上の庇を出すことが大切です。南側は日射遮蔽の意味があるので、より深くしたいところですが、ほかの面は雨水を切る、雨が簡単に吹き込まない程度の庇でも十分です。

屋根勾配は、屋根葺き材によって変わります。一般的には、瓦葺きであれば4寸以上、金属板の平葺きであれば3寸以上、瓦棒葺きであれば1.5寸以上などと決まっています。この屋根材（葺き方）を決めたら、原則として一軒の家で屋根材と勾配は統一します。

2階の屋根を切妻にした場合、左右の桁間隔の中央に棟を配置し、左右対称の屋根ができるのが自然です。棟の

第3章　間取りと一緒に考えること　133

位置を無理に変えてしまうと、地廻りがそのままであれば左右で勾配が変わってしまい、勾配を維持しようとすると、片方の桁が下がって地廻りが崩れます。構造的にも意匠的にも、左右対称の形を崩さないことが原則です。

ただし、梁間方向の間口を3間半、4間半といった半端な長さにした場合は要注意です。2階の柱位置と棟の位置がずれるので、棟や棟束が室内に表れると違和感があるためです。その場合は、上屋梁を入れるなどして棟束を見せない工夫が必要になります。小屋裏収納を造る場合には露わになるので、棟の位置を柱に揃えて屋根を左右非対称にする選択肢もあります。

下屋の屋根は、屋根葺き材も屋根勾配も2階の屋根と揃えるのが原則です。しかし下屋の幅が大きいと、屋根の頂部が2階の窓に当たってしまう状況が起こります。これは完全な設計ミスで、下屋の屋根勾配を緩くして「逃げる」のも設計下手の証しと言えます。屋根葺き材が同じ場合はまだしも、2階が瓦屋根なのに、下屋が勾配の緩い金属板葺きになってしまったら醜悪です。こういった事態を避けるには、間取りの段階で下屋の高さを読み込んでおく必要があります。

屋根が絡み合う所にできる屋根どうしの接線を「谷」と呼びます。屋根面1と屋根面2が90°振れている場合（例えば東面と南面）は、勾配のある「下り谷」になるので、ずさんな施工をしない限り、問題はありません。しかし、屋根面1と屋根面2が向かい合ってぶつかる所（例えば南面と北面）では地面と水平の接線が生じます。これを「水平谷」と呼びます。水平谷にも僅かながらに勾配を付けるのですが、落ち葉などが堆積して水が溜まりやすく、雨量が多くて水が溢れたりすれば確実に雨漏りしてしまいます。

矩形平面の単一屋根であれば、「谷」そのものがないので一番安全ですが、家の規模が大きくなってくると単一屋根という訳にはいきません。屋根が複合的に絡む場合や、上屋の壁に下屋の屋根がぶつかる場合は、水平谷をつくらないことが絶対条件になります。

01. 軒の有無と雨の吹込み

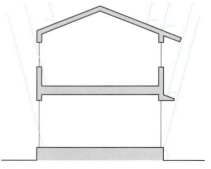

窓の上に軒や庇があれば、雨でも窓を開けておくことができますが、軒や庇がなければ雨の吹き込みは防げません

02. 軒の出と夏の日射遮蔽

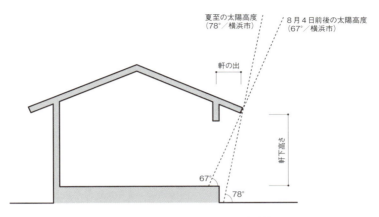

横浜で夏至の太陽の南中高度は78°で、軒下高さ2,200mmの屋根（庇）の深さは450mm程度必要です。気温が高くなる8月初旬の南中高度は67°で、軒下高さは2,200mmの屋根（庇）の深さは900mm程度必要になります

03. 軒の出と冬の日射取得

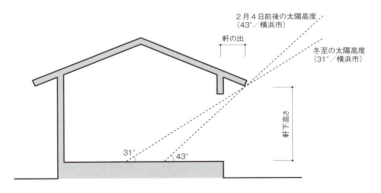

横浜で冬至の太陽の南中高度は31°ですが、日射取得のためにはより気温が低くなる2月初旬の南中高度が重要です。横浜の2月初旬の南中高度は43°で、軒が深過ぎると日射取得が得られません

04. 妻面（ケラバ側）の窓に庇を設ける

ケラバもしっかり出ていますが、窓上には庇を設けています

05. 上屋の1階窓上に庇を設ける

南面のハキダシ窓が上屋の1階にあるので、箱庇を取り付けています

06. 3間半で棟が中央の左右対称形

梁間方向3間半の小屋組みですが、室内から見えないように中央に棟をつくり、屋根をシンメトリーにしています

07. 3間半で棟をずらした非対称形

梁間方向3間半の小屋組みで、ロフトをつくる要望があったため、3尺グリッドに棟を残して左右非対称にしています

08. 水平谷をつくってはいけない

壁に向かって勾配を取ると「水平谷」ができ、水が流れずに溜ってしまうので雨漏れの原因になります

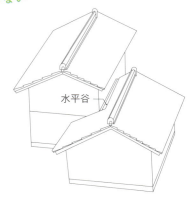

08

高さ関係を把握する

最も基本的な高さ寸法である「階高」は、下階の床から上階の床までの高さ、「天井高」は床から天井までの高さです。「1階階高」とは1階床から2階床までの高さを指し、「2階階高」は2階床から桁までの高さのことです。

階高を高くすれば、天井高も高く取りやすいのですが、前述したように建物のプロポーションが悪くなります。さらに階段の蹴上寸法が大きくなるか、段数を増やすことになるので、使い勝手や間取りに影響が出ます。逆に階高を低くすれば、建物のプロポーションが整い、2階への昇り降りが楽になり、余計なスペースを取られなくなるので、間取りをつくる上でも楽になります。その反面、天井高を低くするか、天井懐（天井裏）を小さくする必要が出てきます。

ハウスメーカーのCMで「天井が高い家っていいわね」という台詞があります。確かに30帖ぐらいある広い空間の場合、天井もそれなりに高くなければ圧迫感を感じてしまいます。しかし、15帖ぐらいのリビング・ダイニングであれば、必ずしも天井が高い必要はありません。天井高さを抑えることで、逆に広さを感じるという面もあ

り、6〜8帖程度の部屋などは、天井が低いほうがかえって居心地がよいとさえ思います。

それでも、ある程度の天井高を確保しながら階高を抑えるには、梁を天井懐に隠さず、室内から見える位置で天井を張る必要があります。この梁と天井についての関係は、後で詳しく解説します。一方、梁を見せずに階高を小さくしたい場合は、天井高さを2300mm以下に抑えれば可能ですが、ハウスメーカーがつくり出したイメージもあって、一般的になかなか理解が得にくいかと思います。

屋根の構造は、野地板を受ける垂木を棟から桁に架け、さらに垂木は桁から先へと伸びます。この桁から先の水平距離を「軒の出」と言います。勾配屋根の場合、軒の出と屋根勾配によって、屋根先の高さ（以下、軒下高さと呼ぶ）が変わります。軒の出900mmを標準とすれば、5寸勾配なら450mm下がり、4寸勾配なら360mm下がるという具合です。これに屋根のある階の「階高」を加えると、軒下高さを出すことができます。階高2,400mmで5寸勾配なら、軒下高さは2,400－450＝1,950mmになり、階高2,400mmで4寸勾配な

第3章　間取りと一緒に考えること　137

ら、軒下高さは2,400 − 360 = 2,040mmになります。

さらに前述した日射遮蔽の観点から見ると、8月初旬（横浜市の南中高度67°）の日射を遮るためには、軒の出900mmにした場合、軒下高さは2,120mmにな

01. 矩計と各種の高さ

○ 軒高：地盤面～軒桁天端
○ 軒鼻高：～軒先下端（垂木下端）
○ 2階階高：2階床面～軒桁天端
　　　　　（構造／胴差天端～軒桁天端）
○ 1階階高：1階床面～2階床面
　　　　　（構造／土台天端～胴差天端）
○ 天井懐：1階天井仕上げ面～2階床面
○ 天井高：床面～天井仕上げ面
○ 内法高：床面（敷居）～鴨居下端
○ 床高：地盤面～1階床面

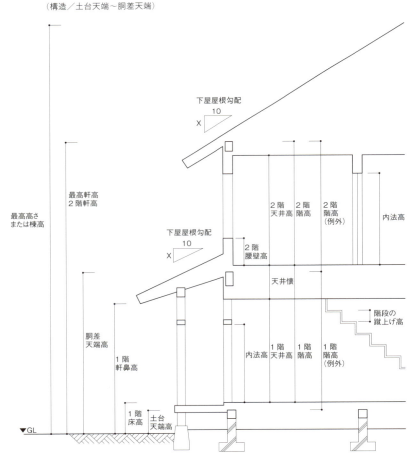

138

ります。屋根が4寸勾配なら桁の高さは2,480（2,120＋360）mmということになります。ただし正午以外は南中高度よりも低い高さから日射があるので、それを防ごうとすれば、ハキダシ窓の場合は軒下高さが1,800mm前後になってかなり低いです。これを解消するには、1階窓の場合は柱を立てた土庇にして軒の出を1,300mmにすれば、軒下高さは2,600mmまで上げられるので、全体のバランスを見て決められます。

　一方で2階は腰窓のケースが多いと思います。桁の高さが2,400mmでも2,600mmでも、床から500mmの腰壁があれば、軒の出900mmで日射は遮蔽できます。2階屋根の軒の出は最大でも1,000mmになると思うので、バルコニーに面したハキダシ窓がある場合は、できるだけ桁の高さを抑えるようにしましょう。

　また、屋根勾配と軒の出によって軒下高さが決まるように、下屋（2階建てに取り付く差し掛け屋根）の屋根勾配とスパンによって下屋の屋根が上屋に当たる高さが変わります。4寸勾配で下屋の幅が1間（1,820mm）なら屋根は桁から728mm上がり、1間半（2,730mm）なら桁から1,092mm上がります。2間（3,640mm）になると1,456mmも上がるので、2階には高窓しか取れなくなることが分かります。このことは4章でも触れますが、1階の間取りを考える際に非常に重要なので、覚えておいてください。

　続けて押さえておきたい高さ寸法は

「内法高さ」です。「内法」とは、対面する二つの部材間の（内側と内側の）距離を指しますが、「内法高さ」と言えば、敷居の上端から鴨居の下端の高さのことです。内法高さは一軒の家で統一されるのがふつうで、伝統木造住宅では5尺7寸（1,730mm）～6尺（1,820mm）という寸法が使われてきました。しかし現代人は背が高くなり、現代の住宅では内法高さも高くなっています。特にアルミサッシの既製寸法が、1,800mm、2,000mm、2,200mmとなっているので、内法高さ2,000mmという家が多いと思いますが、天井高さや小壁（鴨居から天井までの壁）とのバランスを考えると、1,800～1,900mmに抑えるのがお勧めです。サッシ既製寸法の2,200mmを使って、開口部も天井高も2,200mmにして開放感を高める設計手法もありますが、真壁の空間には馴染まないと考えます。

　この内法高さは、軒下高さとの関係も重要です。床から800mmの壁がある腰窓であれば、軒の出900mmなら軒下高さ2,600mm（桁の高さ2,960mm）でも日射遮蔽が可能になります。しかし、内法高さ（窓の高さ）が2,000mmの時に軒下高さが2,600mmもあっては間が抜けた外観になってしまうのです。伝統木造住宅の空間も参考にしながら内法高さと軒下高さが近くなるようにバランスを整え、美しいプロポーションにできればと思います。

02. 勾配屋根と高さの関係

○ 軒下高さは屋根勾配と軒の出によって決まります（4寸勾配で軒の出900mmなら桁から360mm下がり）
○ 屋根葺き材によって最低勾配にも違いがあります
　（日本瓦葺き：4寸以上、金属板平葺き：3寸以上、金属板瓦棒葺き：1.5寸以上など）

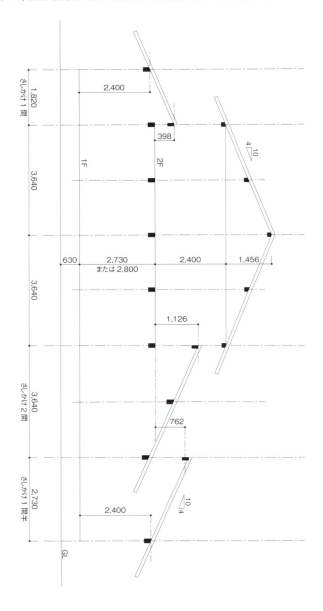

09

床組と1階天井の関係性

　前項で階高と天井高の関係について触れましたが、まずは1階階高と天井高について見ていきます。最近は根太床（梁の上に100×45mm程度の根太を渡す）ではなく剛床（構造用合板などの面材を梁に直張りする方法）にするため、胴差や梁の上端と2階床面の間は40〜50mm程度で、根太床よりも懐が小さくなりました。

　最初は2階床組を見せない場合ですが、一番大きな梁の下で床下地を組むので、最大の梁せいを330mmとすれば、〈階高−420mm〉くらいの天井高さとなります。階高2,730（階段蹴上195mm×14段）の場合、天井高は2,310mmになり、天井高を2,450mmにしようと思うと階高は2,870mm必要になります。

　次に、大梁のみを化粧梁にして小梁を天井裏に隠す場合です。小梁のせいが210mmであれば、〈階高−300mm〉くらいなので、階高2,730mmでも天井高さは2,430mmを確保できます。この時、240mmの梁は天井下地を分断し、270mmの梁は天井に10mm程度しか顔を出さないので、できるだけ使わないようにし、300〜360mmの大梁を見せて、210以下の小梁を隠すように天井を張るとよいでしょう。もし、210mmの梁が柱

の集中荷重を受けると、梁せいは240mmとか270mm必要になってしまうので、小梁に集中荷重をかけないように2階の柱を配置したり、小屋梁を大きくして柱に荷重をかけないことが必要です。

　次は、梁を3尺ピッチに架ける方法です。2間スパンに3尺ピッチで梁を架けると、240〜270mm程度のせいが必要なため、材積はかなり大きくなりますが、両端の胴差や牛梁を一回り大きな材にして受ければよいので、構造的にはシンプルで、間取りの影響をあまり受けずに済みます。甲乙梁は120mmあれば済むので、天井高は〈階高−220mm〉となり、階高2,730mmでは天井高2,510mmになります。階高2,660mm（蹴上190mm×14段）にしても天井高は2,440mmも取れます。

　ただし、梁が3尺ピッチに規則的に並ぶため、板張りの天井には不向きです。また、天井が細かく分かれて見えるので、好き嫌いは分かれるところかもしれません。

　最後は、床組をすべて露しにする方法です。梁のせいにかかわらず、胴差や梁の上端が天井となるため、〈階高−40mm〉が天井高です。階高2,730mm

第3章　間取りと一緒に考えること　**141**

では天井高が2,690mmも取れるので、階高2,470mm（蹴上190mm×13段）にしても天井高は2,430mmです。北側斜線をかわす、プロポーションをよくするなど、階高を抑えるためには最良の方法ですが、床組をすべてさらけ出すということは、見苦しい床組にはできません。建物の形を決めたら、初めに合理的な床組を考え、それに合った間取りを滑り込ませる必要があります。かなり不自由な感じを受けますが、初級者にとっては「構造に従って間取りをつくる」ことの大切さを学ぶ訓練になるので、架構をすべて露した空間に取り組むのは、お勧めです。

01. 床組の種類

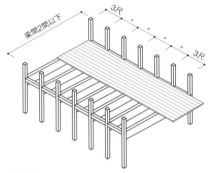

［単床］

根太（梁）に直接床板を張る単純な形式。梁を3尺ピッチにかけて厚板を張る剛床は単床に近い構造です

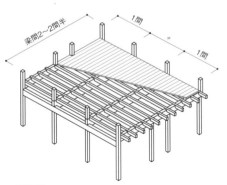

［複床］

ほぼ1間ごとに梁をかけ、直行方向に根太を流して床板を張る形式。以前から最も一般的な床組みです

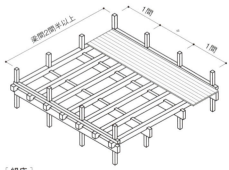

［組床］

梁間が大きい場合に、中央に大きな梁をかけて小梁を受ける形式。根太や床の構成は複床と同じです

02. 床組の下で天井を張る 鎌倉K邸｜断面図（S＝1:120）

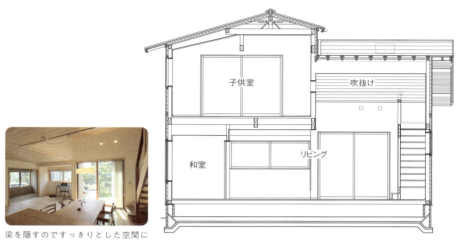

梁を隠すのですっきりとした空間になりますが、架構デザインとは無縁の天井と言えます

天井高さが低くなるため、吹抜けと組み合わせて天井にメリハリをつけています

03. 大梁を化粧梁にして、小梁は天井裏に隠す 茅ヶ崎S邸｜断面図（S＝1:120）

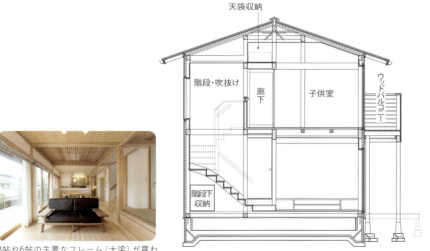

8帖や6帖の主要なフレーム（大梁）が露われる一方、小梁を隠せるので間取りの自由度が上がります

大きな梁の下端が40mm以上残る位置で天井を張ります。細い配管や配線スペースが取れます

第3章　間取りと一緒に考えること　143

04. 小梁を使わずに梁を3尺ピッチに露す 伊勢原K邸｜断面図（S＝1:120）

3尺ピッチに梁が並ぶ、リズム感のある天井です。整然と並ぶ梁が構造体に見えないかもしれません

梁と梁の間に入る甲乙梁の下に天井を張るので、天井高さは前の2例に比べて高くできます

05. 床組（剛床）をすべて露しにする 藤沢K邸｜断面図（S＝1:120）

床組がすべて露わになる力強い天井です。根太天井は繊細で綺麗ですが、剛床の場合は少し粗い印象になります

梁の上端が天井になるため、ほぼ階高＝天井高です。先に床組みを考えてから2階間取りをつくりましょう

10 小屋組と2階天井の関係性

　ここでは2階階高と天井高について見ていきます。耐震等級3の場合、屋根面でも水平剛性を確保しなければならないため、火打梁を数多く取り付けるか、梁の上端に面材を張ることが必要です。小屋組の下で天井を張ると、全面に火打ち梁を入れても、全面に面材を張っても室内には見えてこないので、一番簡単に水平剛性が確保できます。しかし、小屋梁が梁せい240mmの場合は〈階高－290mm〉となり、天井高2,400mmを得るには階高は2,690mmに

01. 小屋組の下で水平天井を張る 横浜S邸｜断面図（S＝1:120）

世の中ではこれが一般的だと思いますが、室内に梁がまったく見えません

スキップフロアにしたことで、通常よりも2階階高が大きなため、梁の下で天井を張っても天井高さ2,400mmが取れています

第3章　間取りと一緒に考えること　145

なります。これでは1階並みの階高になってしまうので、よくありません。もし天井高を2,100mmにしても良ければ、階高は2,390mmまで抑えられますが、小屋組を隠すのは得策とは言えません。

　小屋組を見せる天井のつくり方で、最も分かりやすいのは屋根面に沿った勾配天井です。桁部分では天井が最も低く、棟に向かって天井が高くなるので、階高を抑えても圧迫感はありませんし、むしろ伸びやかな空間になります。桁から棟までのスパン1間半で4寸勾配の場合、両端で1,040mm程度の高低差が生まれるので、階高2,250mm（天井の端も2,250mm）であれば、平均天井高は2,770mmになります。ただし、天井の下に火打梁がいっぱい見えてしまうので、空間的にはまったく美しくありません。リズムよく垂木が架かる美しい天井にするためには、火打梁を省くしかありませんが、構造的には問題があります。

　そこで、登り梁構造を採用する例が多くなっています。登り梁を3尺ピッチに架けて面材や厚板で固めると、屋根剛性が確保できるためです。火打梁が要らないので、登り梁と勾配天井による開放感や「すっきり」感が支持されています。ただし、登り梁構造は2階がオープンな空間の場合は相性がよいのですが、子供室や寝室、納戸やト

02. 梁桁は見せ、火打梁の下で水平天井を張る　横浜I邸｜断面図（S＝1:120）

真壁の場合、梁桁が隠れてしまうと面白くないので、火打梁のすぐ下で水平天井を張っていきます

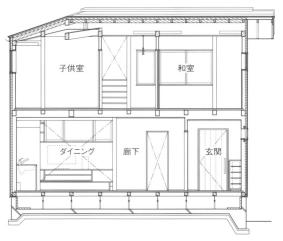

天井は、火打梁をかわすだけなら桁上から100mm下がり、野縁を通すなら140mm下がるため、桁は180mmにして下端を見せます

イレなどが並んで間仕切りが多い場合、消化不良を起こしてしまいます。つまり、細かな間取りをするのに向いていないのです。登り梁構造は構造的な縛りが強いため、空間ありき、構造優先の間取りになることを承知して使いましょう。

勾配天井以外で開放感のある天井をつくる方法は、屋根の勾配に合わせて段階的に天井高を変えるというやり方です。火打梁が入ることを前提に天井を考えると、桁から3尺内側までは火打梁の下で天井を張り、次の1間ないし1間半の空間を高天井にします。低い部分の天井高を2,200㎜にする場合、階高（桁の高さ）は2,350㎜になり

ます。屋根が4寸勾配であれば、3尺内側の母屋が床から2,714㎜（2,350＋364㎜）の高さになるので、高い部分の天井高は2,660㎜ぐらいがよいでしょう。こうして460の高低差がある二段天井ができます。勾配が急だと高低差は大きくなり、緩いと差が小さくなるのがポイントです。

注意しなければならないのは、高天井側の地廻り（梁の高さ）に火打梁を入れると台なしになるということです。この部分には火打梁を入れず、廊下、トイレ、押入、納戸などを利用して、隣の区画に火打梁を集める工夫が必要です。

もう一つ、6帖や8帖の寝室でよく使

03. 勾配天井にする（火打梁を出す） 横浜M邸｜断面図（S＝1：120）

2階は勾配天井にするのが素直ですが、火打梁が余り多く見えると目障りです

小屋裏を余すところなく使える勾配天井は魅力です。しかし耐震等級3で全面を勾配天井にすると、火打梁のオンパレードになってしまいます

第3章　間取りと一緒に考えること　147

う方法があります。それは2間幅の中央に小屋梁を架けるようにして、梁を挟んで鋭角の舟底天井をつくるやり方です。部屋の四隅には火打梁を入れ、基本的に火打梁の下で水平天井を張るのですが、それだと面白くないし天井も低くなるので、梁の上で三角形をつくるのです。天井の抜けで圧迫感がなくなること、架構が綺麗に見えることが利点ですが、梁の上に直管や線状の照明器具を設置すれば、間接照明にすることもできます。光源が目に入らないので、寝室には打ってつけの照明と言えます。

04. 勾配天井にする（火打梁を出さない） 藤沢S邸｜断面図（S＝1:120）

リビングなどの主要空間だけであれば、火打梁の出ない勾配天井にすることもできます

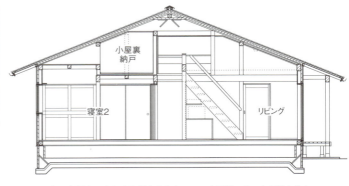

一部の部屋だけなら火打梁を入れないことも可能です。火打梁を入れない空間の隣には多めに入れるなど、全体で水平剛性を高めます

05. 登り梁を隠す勾配天井（火打梁不要） 岐阜F邸｜断面図（S＝1:120）

登り梁を使うと面材で水平剛性が取れるため、勾配天井でもすっきりとした空間になります

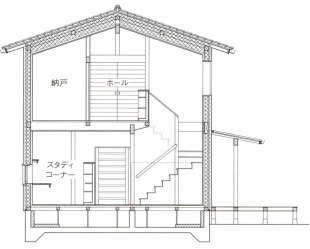

屋根断熱を寒冷地並みに厚くしているため、必然的に登り梁が天井裏に隠れています。登り梁は複雑な平面には対応しにくいので、2階の天井は細かく分けず、大きく3つに分けています

06. 登り梁をあらわす勾配天井（火打梁不要） 町田Z邸｜断面図（S＝1:120）

面材で剛性を取りますが、登り梁と構造用面材の杉パネルがすべて見える天井です

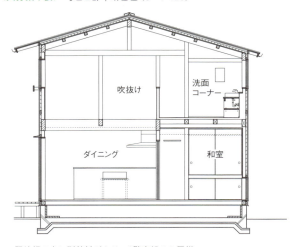

野地板の上に断熱材があり、2階床組みと同様に階高を抑えても天井高さを確保できます。北側斜線が厳しいため、北面は母屋下がりです

第3章　間取りと一緒に考えること　149

07. 桁から3尺幅を落ち天井にした二段天井　藤沢M邸｜断面図（S＝1:120）

二段天井のギャップを利用して、桁側の落ち天井上に間接照明を入れることもできます

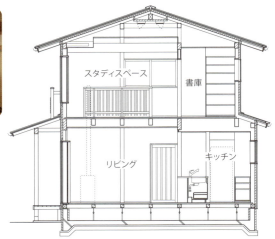

火打梁が多く入る桁から3尺の天井は低くして、家の中央で天井を高くしています。北側の小室は天井高を抑えて、火打梁をしっかり入れています

08. 梁を挟んだ小さな舟底天井　平塚T邸｜断面図（S＝1:120）

中央を舟底天井にすることで架構を綺麗に見せることができ、間接照明も入れられます

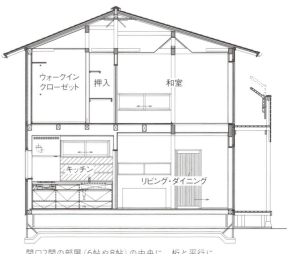

間口2間の部屋（6帖や8帖）の中央に、桁と平行に小屋梁を入れます。四隅にある火打梁の下で水平天井を張り、中央の梁を挟んで舟底天井にします

第 4 章

平屋と2階建ての
間取り

01

基本は平屋と総2階の家

家の外形や断面の基本的な内容を押さえたら、具体的な間取りについて見ていきましょう。

初版の原稿を書いた時（2017年）は、平屋を建てることは特別な感じがありました。そのため平屋を設計する機会も限られていたと思いますが、「平屋ブーム」によって当社でも平屋の事例が増えてきました。30坪の平屋を建てるには60〜75坪の土地が必要なため、郊外や地方は条件的に有利ですが、地価が高い首都圏では今でもハードルは高いです。しかし、コンパクトな20坪の平屋であれば40〜50坪の土地でも建築が可能です。1〜2人世帯が増えたこともあって、これからは設計の機会が増えるでしょう。

平屋は木構造の基本となる形ですので、これを避けては通れません。初めに設計面から見た平屋の長所と短所を確認して、平屋を設計する準備とします。そして家が大きくなった場合、間取りや屋根をどのようにするか、平屋ならではの考え方を見ていきます。

都市の狭小地では木造3階建ての住宅も見られますが、全国的に見ればこれも少数派で、日本の住宅のスタンダードは木造2階建てと言って間違い

ありません。

2階建て住宅の基本的な構造の考え方とともに、2階建ての基本形とも特殊形とも形容できる「総2階の家」について見ていきます。限られた敷地と限られた予算が生み出した「都市住宅のスタンダード」ですが、間取りに関してはむしろ特殊な面があります。

日照・採光条件の悪い都市部の敷地では「2階リビングの家」も市民権を得ています。2階リビング（逆転プラン）には多くのメリットがあると同時にデメリットもありますので、それらを正しく把握したうえで、間取りに取りかかる必要があります。

各々が自分なりの設計手順を持っていると思いますが、2階建て住宅の設計は1階から考えてはいけません。初めに2階の大きさを決めた後、まずは2階の間取りから考えます。その「2階間取り」には定番があるので、そのパターンを使いこなすのが早道です。

2階が決まれば1階の間取りに下りていく訳ですが、上屋（総2階部分）に下屋を加える形で間取りを考えます。下屋のパターンや、下屋の屋根と上屋の関係など、間取りをつくる際に必要な技術を押さえましょう。

02

平屋の長所

　平屋が好まれる理由はいくつかあります。まずは、2階建てのように上下に分断されないので、家の床面積をダイレクトに感じられること、すなわち広く感じることです。次に、階段の上り下りがないので移動が楽なことです。そして歳を取った後もすべてのスペースを活用できるので、部屋を無駄

01. 屋根と断面を意識しながら考えやすい

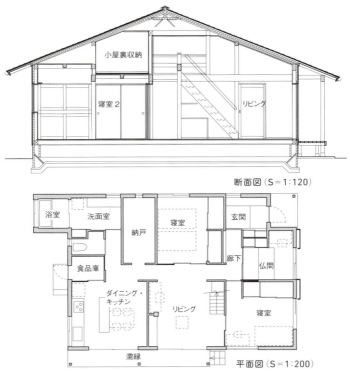

断面図（S＝1:120）

平面図（S＝1:200）

柱や梁を意識したことがない人は、平屋でも一緒かもしれませんが、
2階建てに比べればはるかに構造体をイメージしやすいです

にしないことです。

さらに設計面から見ても、平屋には多くのメリットがあります。

一つ目は構造体を意識しやすいことです。2階建ての住宅は、屋根のこと、架構のことを間取りと分けて考えがちですが、平屋の場合は架構の影響が強く出るので、否応なく構造を意識するはずです。また、屋根荷重を考えるだけでよいので、横架材の断面は小さくなりますし、梁のスパンを多少広げることも可能です。2階のように構造壁も少なくできるので、開口部を大きく取ったり、室内に大きな空間をつくったりしやすいのも利点です。

二つ目は、階段がないことで間取りが随分と簡単になることです。2階建ての設計では、1階平面と2階平面を行ったり来たりしながら考える必要がありますが、平屋は間取り全体が視野に納まります。平屋ならではの難しさは後述しますが、「階段」を考えなくてよいので、素人でも間取りがつくりやすいと思います。

三つ目は、黙っていても外観がよくなることです。平屋なので階高は抑えられており、屋根の存在感も大きく、地面が近いので開口部も掃出し窓が増えるはずです。総2階建ての家であれば、窓の取り方や壁の仕上げを工夫するのはもちろん、何らかの要素を付加してデザイン性を高める努力が必要です。しかし平屋の家であれば、矩形平面で単純な切妻屋根の住宅でも、それなりに格好よくなるものです。

02. プロポーションがよい

平屋が建っていると目を奪われます。特別なデザインではなくても、大地に寄り添う佇まいがよいのです

03. 2階がないので素人でも考えやすい

上下階の整合性を問われないので、思うままに間取りを広げたり縮めたりしても、恐らく成立してしまいます

03

平屋の短所

　前項の冒頭に書いたように、敷地が広くなければ平屋の住宅を建てることはできません。また、2階建て住宅と同じ床面積であっても、平屋の住宅は基礎と屋根が大きくなるので（総2階の家と比べたら約2倍）工事費が割高になりますし、敷地が広いということで外構工事費も高くなります。敷地を用意することも含めて、予算的な余裕がなければ平屋を建てるのは難しいと言える

01. 住宅地に残る広い敷地

古い家が建っていた広い敷地は、建売業者が細分化してしまうのが常ですが…

02. 昔から平屋が建っていた敷地

古い家が建っていた広い敷地を所有していれば、問題なく平屋を建てられます

03. 平屋は基礎が大きい（工事費が高い）

同じ30坪の家でも、総2階の基礎は15坪ですが、平屋の基礎は30坪です

04. 平屋は屋根が大きい（工事費が高い）

平屋と総2階とを比べたら、屋根垂木、野地板、屋根材などが約2倍です

でしょう。

　設計面から見た平屋の難しさは何でしょうか。

　一つ目は、平面が大きくなると家の中央が暗くなることです。間口4間ぐらいの規模までは、南北の窓から入る採光で大丈夫ですが、5間、6間となれば、横からの光が届きません。屋根の中央部分を突き出してハイサイド窓を設けたり、腰屋根を設けるなどの工夫が必要になります。手っ取り早いのは屋根面に天窓を取ることですが、雨漏りのリスクが付きまとうので、慎重に検討をしたほうがよいでしょう。

　二つ目は、大きな住宅になると矩形平面では対応しきれないことです。前述した内容と関係しますが、平面が大きいと採光に加えて風通しも悪くなります。平屋でありがちなのは、南北に部屋を振り分けて中廊下をつくる間取りですが、この中廊下が通風を阻害する大きな要因です。つまり、中廊下を作りたくなるような奥行きを避けることが賢明で、建物の幅は4間程度までに止め、平面をL型、コの字型、H型などにして、採光と通風を得やすい形にする必要があります。

　三つ目は、動線が長くなることです。2階建ては階段の昇り降りが億劫かもしれませんが、階段が家の中央付近にあれば、動線は比較的短い距離で済みます。それに対して平屋は、上下の移動こそないものの、家が横へ横へと伸びていくので動線は長くなります。2階建てに比べて廊下が長くなる傾向を踏まえて、間取りを考える必要があります。

05. 平屋は外構工事も広範囲

隣地境界や道路面に立てるフェンスが長くなり、植える木の本数も多くなります

06. 大きな平屋（平面）は家の中央が暗い

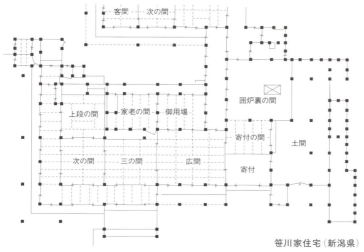

笹川家住宅（新潟県）

これは重要文化財の民家の間取りですが、地方の平屋には同規模のものもあるでしょう

南側に開口部が連続していても、大きな矩形平面だとこのように真っ暗です

第4章　平屋と2階建ての間取り　157

07. 中廊下は通風を阻害する

矩形平面の大きな家には中廊下がつきまといます。夏は風通しを阻害し、冬は室内に温度差が生まれてしまいます

08. 廊下によって動線が長くなる

家が横に広がるので、古民家のように部屋から部屋を渡り歩かない限り、長い廊下が必要になります

中廊下でなければ明るさは問題ないですが、動線は明らかに2階建てよりも長くなります

04

平屋の間取りと屋根

　平屋を設計するうえで注意が必要なのは、屋根方向の影響を強く受けることです。単純な四角形の平面に切妻屋根をかけたシンプルな構造であれば、桁の高さを基準にして、高さ関係の把握は容易です。しかし家を大きくする場合、桁行方向に平面を延ばしても屋根の断面は変わりませんが、梁間方向に平面を広げると、桁どうしの距離が離れて棟が高くなります。もし建物の一部分だけを梁間方向に広げた場合は、胴が細い部分の棟と胴が太い部分の棟の高さが変わるので、屋根を切り替えることになります。ただし細い部分と太い部分の差が3尺の場合、棟のズレは1尺5寸しかないので、チマチマした見栄えの悪い屋根になってしまいます。間取りの凹凸は、1間以上の差をつけることが望ましいです。

　もしも間取りのズレが3尺の場合は、屋根の断面を変えずにそのまま屋根を葺き下げる方法もあります。4寸

01. 建物の拡幅と屋根の変化

建物を桁行方向に伸ばす場合は同じ断面ですが、梁行方向に伸ばすと断面が変わり、空間が大きくなります

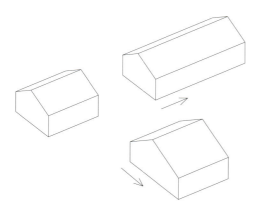

02. L字型建物と屋根の形状

建物をL型に変えると、屋根の形は2通り考えられます。外観と室内空間の違いを踏まえて間取りに反映させます

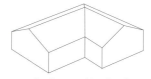

［L字平面で棟が直行］

［L字平面で棟が平行］

勾配なら3尺の幅で桁が364mm低くなりますが、居室の天井を一部下げたり、収納やトイレにあてることで解決できます。1間のズレで屋根を葺き下げると、桁が728mmも下がってしまうので、通常の居室は入りませんが、床の段差がある土間スペース、玄関、玄関ポーチなどと絡めると、効果的です。ただし、桁を段違いにすると地廻りが揃わないこと、妻面のシンメトリーが崩れることなどから、安易に葺き下げることは控えましょう。

家を大きくしながら住み心地も損ねないためには、前述のように、平面をL字型にしたり雁行させたりする必要があります。もっと大きな家にする場合は、建物に主役と脇役の序列をつくって屋根を構成します。2階建てではありませんが、周りよりも桁高を高くした上屋（主役）をつくり、これにシンプルな屋根を架けます。その周囲に桁の高さを抑えた下屋（脇役）を付けることで、屋根のメリハリが生まれ、空間にも変化が生まれます。

03. L字型間取りの平屋

庭が隣地から覗かれないようにL型にした間取りです。庭を分断しないように端に玄関があり、動線の長さを楽しむ間取りです

LDのある中心は棟が高く、玄関部分は棟を切り替えています。西側のL型部分は棟を直角に回しています

04. 屋根の動きから考えた平屋

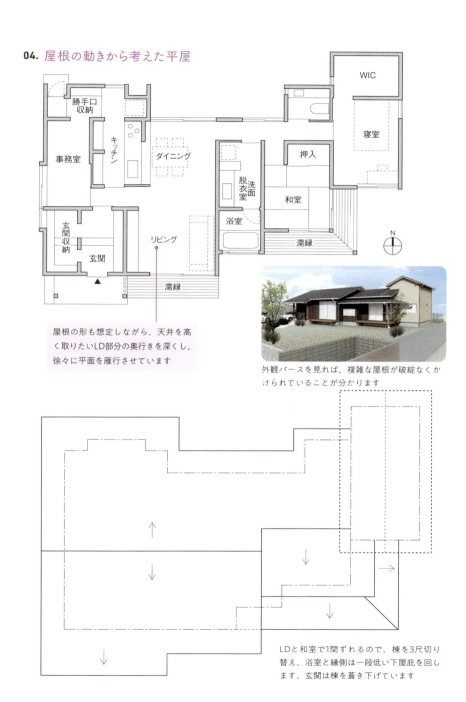

屋根の形も想定しながら、天井を高く取りたいLD部分の奥行きを深くし、徐々に平面を雁行させています

外観パースを見れば、複雑な屋根が破綻なくかけられていることが分かります

LDと和室で1間ずれるので、棟を3尺切り替え、浴室と縁側は一段低い下屋庇を回します。玄関は棟を葺き下げています

第4章　平屋と2階建ての間取り

05. 平屋の実例 ❶ 小田原の家 | 平面図（S＝1:200）

「昔からそこにあって、ずっと残っていくような家を建てたい」という建て主。設計思想と完全に合致した住宅です。

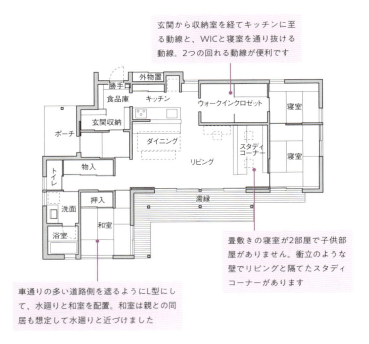

玄関から収納室を経てキッチンに至る動線と、WICと寝室を通り抜ける動線。2つの回れる動線が便利です

畳敷きの寝室が2部屋で子供部屋がありません。衝立のような壁でリビングと隔てたスタディコーナーがあります

車通りの多い道路側を遮るようにL型にして、水廻りと和室を配置。和室は親との同居も想定して水廻りと近づけました

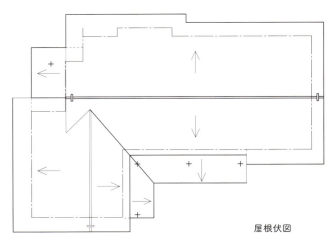

屋根伏図

162

一文字瓦葺きの切妻屋根と金属板葺きの玄関庇で構成する姿は、昔から建っている家のような姿です

「軒を出し、高さを抑えた平屋の家」という希望を形にしました。雨落ち溝をつくり、軒樋はありません

式台のある玄関。衝立がアイストップになります
客間となる和室の窓からは田園風景が広がります

家具職人に注文したテーブルとベンチが、食事以外でも活躍。対面キッチンもシンプルな大工造りです

リビング・ダイニングはタイコ梁を見せた天井の高い空間。開口部の障子は戸袋に引き込まれます

第4章　平屋と2階建ての間取り　　163

06. 平屋の実例 ❷　藤沢の家｜平面図（S＝1:200）

親から相続したのは、住宅地の中に残っていたまれに見る広い敷地。
それをぜいたくに使った平屋の住宅です。

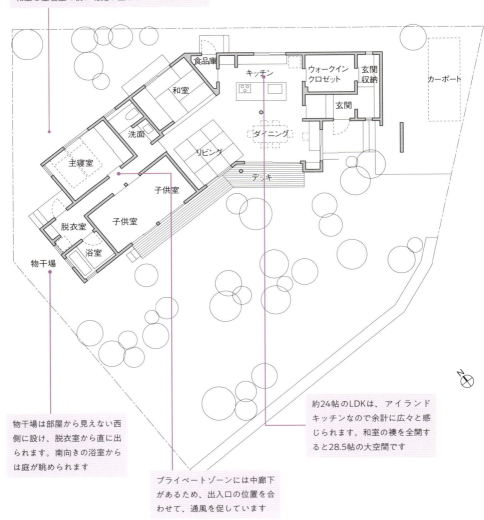

方位が斜めに振れていること、北側の家が迫っていることから、「くの字」に折った平面にしました。和室と主寝室の前に北庭が生まれています

物干場は部屋から見えない西側に設け、脱衣室から直に出られます。南向きの浴室からは庭が眺められます

プライベートゾーンには中廊下があるため、出入口の位置を合わせて、通風を促しています

約24帖のLDKは、アイランドキッチンなので余計に広々と感じられます。和室の襖を全開すると28.5帖の大空間です

建て主が希望した寄棟屋根。軒が水平に回る姿が美しい建物です

掃き出し窓が並び、戸袋もあるため、開口部が大きく見えます

斜めに折れる空間の広がりと一体感は絶妙です

小上がりの和室と縁なし畳を埋め込んだリビングの共演です

ロフトのある子供部屋から、主寝室へ風が抜けます

第4章　平屋と2階建ての間取り　165

2階建て住宅の構造

　構造的には2層になっている訳ですが、「1階の上に2階を載せる」と考えるのではなく、「総2階の家に下屋を付加して1階をつくる」と考えます。「総2階」というのは、1階と2階が同じ形・同じ面積の建物を指します。構造的に分かりやすく言うと、平屋を支える3m弱の柱が2層分の長さ（5.5m）に伸びて、中間に2階の床を造った格好です。1階と2階の柱がすべて揃っていれば構造的には盤石ですが、間取りや開口部に対する縛りが強くなるので、空間的魅力を損なうおそれはあります。上屋（総2階部分）の外周部をしっかり固めることで、構造としては十分な強さが期待できるので、1階は上屋と下屋に分けて考えることが必要です。

　上屋の1階をLDKにする場合、できるだけ広く開放的にしたいと考えるのが自然です。しかし、小屋組みに比べて2階床組みは構造的な負担が大きいため、梁の太さも大きくなりますし、梁を大きく飛ばすことも難しくなります。集成材を使えば、理論上は相当に大きな梁も可能ですが、構造材には無垢材を使いたいので、梁のスパンが2間（3,640mm）以内になるようにします。なぜなら、流通材を使うことが経済的ですし、材の収縮やねじれも考えると、梁せいは1尺2寸（360mm）程度までに抑えるのが常識的だからです。

　間取りと構造を分けずに考えることが大切ですが、特に2間以上の幅や奥行きのある空間をつくりたい時は、2階床梁の構成を頭に入れながら間取りを考える必要があります。小梁を受ける大梁の位置が見えれば、広い空間に立てなければならない独立柱の位置も分かるので、間取りの手戻りもありません。

01. 2階建て住宅の断面と構造　断面図（S＝1:100）

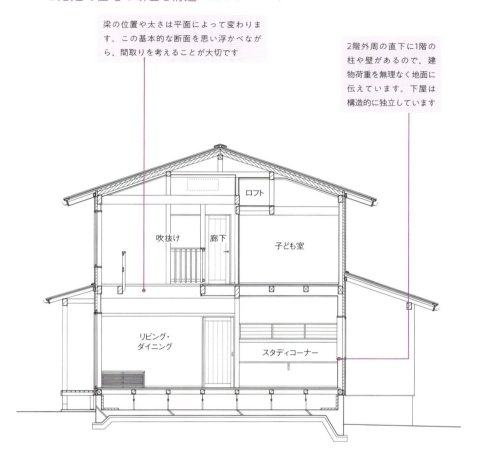

梁の位置や太さは平面によって変わります。この基本的な断面を思い浮かべながら、間取りを考えることが大切です

2階外周の直下に1階の柱や壁があるので、建物荷重を無理なく地面に伝えています。下屋は構造的に独立しています

06

総2階の家

　一般的に生活しやすい間取りというのは、2階よりも1階のほうが大きいものです。1階には玄関があり、家族で長い時間を過ごすLDがあり、キッチンや水廻りがあります。さらに、LDの隣に客間となる和室を設けることもよくあります。寝室や子供室、その収納やトイレさえあれば十分な2階とは、必要な広さが違うのは明らかです。

　しかし、敷地が狭い場合や、敷地に余裕があっても予算を抑えたい場合、建物を総2階にすることがあります。本当に敷地が狭い場合は、25坪にも満たない小さな家にせざるを得ませんが、4人家族（夫婦＋子供2人）の住宅を想定すると、30坪前後（28～32坪）の総2階が一つの目安になるのではないでしょうか。敷地条件としては、敷地面

01. 2階間取りにおける水廻りの有無の比較

[2階15坪（3間×5間）の水廻りなしのパターン]

1 寝室8畳西側、
　子供室4.5畳×2東側縦列、
　吹抜け南、階段北

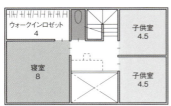

2 寝室8畳西側、
　子供室4.5畳×2南側並列、
　吹抜け北、階段北

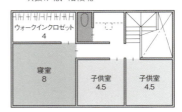

3 寝室8畳西側、
　子供室4.5畳×2北側並列、
　吹抜け南、階段南

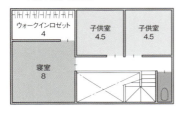

水廻りがなければ、寝室8帖、WIC3帖のほか、吹抜けをつくる余裕も生まれます

積35〜40坪で容積率80％といったところです。

　総2階の家は、構造的には分かりやすく、2階建ての基本形ですが、間取りとしては特殊だと言えます。なぜなら、1階と2階を等しい面積にしなければならないので、生活に即したスタンダードな間取りとは違ってくるからです。個室を必要以上に大きくしたり、1階にあったほうがよいものを2階に上げたり、2階に吹抜けをつくって面積のバランスを整える必要があります。吹抜けのある住宅は1階と2階の一体感が強くなり、子育て家族にとっては有効ですし、魅力的な空間になることも確かです。しかし、度を超えた巨大な吹抜けをつくることで1階と2階の大きさを揃え、無理に総2階にしているような家には疑問を感じます。法的な床面積に入らないだけで、吹抜けにも工事費はかかりますので、建て主の予算管理の面から言えば、大き過ぎる吹抜けは考えものです。

　吹抜けに頼らずに1階と2階のバランスを取るには、何かを1階から2階に上げる必要があります。その第一候補は浴室と洗面室です。この水廻り2坪を上げると、2階は主寝室、子供室、納戸、階段、トイレと合わせてちょうど15〜16坪になります。洗面・

[15坪（3間×5間）の2階水廻りありのパターン]

1 水廻り北、子供室東側縦列、
　　寝室6畳西側

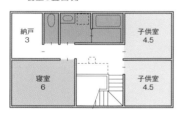

2 水廻り北、子供室南側並列、
　　寝室6畳西側

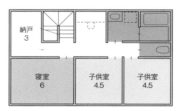

3 水廻り東側縦列、子供室南側並列、
　　寝室6畳北側

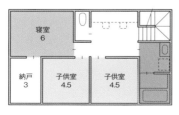

寝室6帖、納戸3帖、吹抜けなしなど、必要十分な大きさにすれば、水廻りを2階に上げられます

第4章　平屋と2階建ての間取り　169

02. 2階に余裕のある総2階 (3×5間)　藤沢S邸

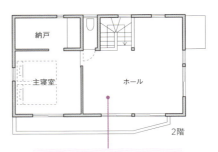

南側にLDK、北側に水廻りや玄関をまとめた定番の間取り。和室がないので、LDKに十分な広さがあります

主寝室、納戸、トイレ以外をワンルームにした大空間です。家族の変化に合わせて可変させる間取りです

03. 吹抜けのある総2階 (3×5間)　茅ヶ崎S邸

水廻りや玄関を東側にまとめ、まとまり感のあるLDKです。小上がりの畳スペースが暮らし方の幅を広げます

吹抜けを挟んで主寝室と子供室が分かれる間取りで、初めは子供室の一つを共用スペースにしています

浴室を除いて15～16坪とれる1階は、リビングに余裕をもたせることや、LDKの横に4帖半程度の和室をつくる余地が生まれます。

第二候補は和室です。親が孫に会いに来たり、友人が遊びに来たりすることがあるので、客間となる和室はほしいものです。しかし、独立した和室は「死部屋」になってしまうので、リビングの横などに普段使いのできる和室が理想なのですが、15坪前後の1階に水廻りを残すとその余地はほぼ残りません。とは言え、2階に客間専用の和室を設けるのも勿体ないので、普段は趣味の間、子供の勉強スペースなどに使える和室がよいでしょう。あるいは

04. 2階に水廻りのある総2階（3×5間） 二宮F邸

ソファーや食卓のあるリビング・ダイニングに加え、建具のない小上がりの茶の間スペースまである広い家族空間です

親子の部屋が一つずつなので、水廻りを上げても、広い納戸とホビースペースが取れています

主寝室を畳敷きにして、いざという時は客間に変えてしまう「部屋の使い回し」も賢い方法です。人を泊めるのが1年に1〜2日程度なら、それで十分ですし、そうすれば1階の間取りにも2階の間取りにも余裕が生まれます。

　第三候補はLDKと個室群を丸ごと入れ替えてしまう方法です。この形は「2階リビング」とか「逆転プラン」と呼ばれて、都市住宅ではしばしば見られる形なので、次の項で詳しく見ていきます。

05. 2階寝室を和室にした総2階
（3.5×4間）　横浜H邸

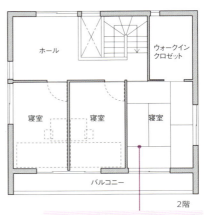

寝室を和室にしているので、客人を泊めることができます。建物幅が4間だと5帖の子供部屋が取りやすくなります

水廻りや玄関を東側にまとめ、南から北に風が流れるLDKです。階段下を利用した土間収納も無駄がありません

06. 夫婦別寝室で、2階が大きな総2階 (3.5×6間) 鎌倉F邸

1階

将来は大人の音楽室に転用する予定の、子供のおもちゃ部屋をつくっているため、1階はゆとりのある大きさです

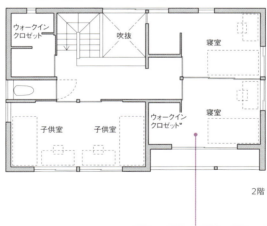

2階

夫婦の寝室を分けているため、2階が大きくなっています。吹抜けに面したライブラリーは親子共用のスペースです

第4章 平屋と2階建ての間取り

07. 総2階の実例① 藤沢の家

親が住む家の横にある限られた敷地のため、必然的に総2階での計画となりました。
親世帯と勝手口を向かい合わせ、二世帯住宅のように住まう家です。

2階

2階に水回りがあり、バルコニーへの動線上に家事コーナー兼室内干しスペースがあるため、洗濯動線が集約されています

将来、南隣地に3階建てが建つことも考慮して、日照・採光のために南側に吹抜を設けています

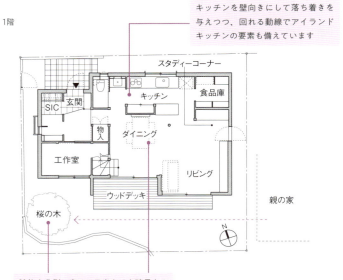

1階

キッチンを壁向きにして落ち着きを与えつつ、回れる動線でアイランドキッチンの要素も備えています

建物を北側に寄せて日当たりを確保するとともに、親世帯のリビングから敷地内の桜が見えるようにしました

道路に面した西面は窓を中央に集めて竪格子で囲い、切妻屋根と併せてシンメトリーな造形にしています

キッチン横には食品庫があります。リビングとスタディコーナーの間に勝手口を隠す内扉を付けました

壁向きキッチンと対面作業台を組み合わせました　　手先の器用なご主人が使う趣味の工作室です

寝室はモヤ下がりの架構を生かして、高天井と落ち天井の段差に間接照明を計画しました

柱・梁・床材・天井の羽目板、すべてを杉で統一した「杉の家」です。吹抜を介して2階とも繋がっています

第4章　平屋と2階建ての間取り

08. 総2階の実例② 逗子の家

敷地の南と東に隣家が迫り、北西側は公園や緑が広がる環境です。
この立地を生かすため、南側を閉じて北側に開く住宅をつくりました。

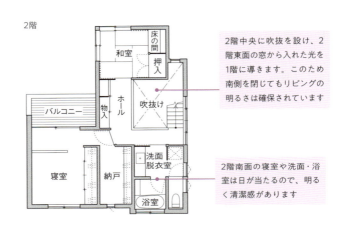

2階中央に吹抜を設け、2階東面の窓から入れた光を1階に導きます。このため南側を閉じてもリビングの明るさは確保されています

2階南面の寝室や洗面・浴室は日が当たるので、明るく清潔感があります

敷地が扇形のため、L型平面にして北西部分に余白をまとめ、リビングの一部としてデッキもフル活用しています

日当たりの悪い1階南面に、玄関や収納スペースを集めました。勝手口からキッチンへのサブ動線が便利です

塗り壁と板壁を組み合わせた南側の外観は、窓も小さく箱っぽい形のため、モダンで閉じた印象を与えています

2階窓からの光が吹抜を介してリビング・ダイニングに注ぎます。キッチンは二列型で充実の作業スペースです

食品庫も充実の広さで勝手口が便利です

屋外への広がりに加えて立体的な広がりがあります

和室はコーナー窓なので景色が連続します。床の間や間接照明があって、和風旅館のような雰囲気です

北面には景色を綺麗に切り取るFIX窓、西面は出入りや通風を考慮した両片引き窓を入れ、室内に自然を取り込みます

第4章　平屋と2階建ての間取り　　177

2階リビング（逆転プラン）の家

　都市部の住宅密集地では、1階にほとんど日が当たらない敷地があります。一方、自然の景観などに恵まれた場所で、2階のほうがより眺めのよい敷地もあります。こうした敷地に対しては、「2階リビングの家」を提案す

01. 逆転プランのデメリット

デメリット

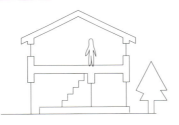

・LDKから庭に直接出られない
・買い物の搬入に手間がかかったり、来客のたびに階下に降りる必要があって面倒

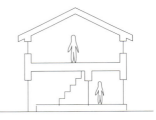

・子供室が1階にある場合、リビングを通らずに玄関から部屋に行けてしまうので目が届かない

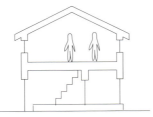

・加齢や怪我の場合の昇降。将来のエレベーター設置
・2階が暑くなりやすい夏の日中の居住性。冬は2階との温度差が大きくなって、1階が寒く感じる

るのが自然です。また、後者の場合は例外もあるでしょうが、面積を必要とするLDKが2階にあるため、「2階リビングの家」は基本的に総2階の家であることが多いと思います。

この2階リビングの家には、多くのメリットがある反面、デメリットもあります。まずはデメリットから見ていきましょう。一つ目は、LDKが地面と繋がっていないことです。高木の枝葉を見ることはできますが、下屋に屋上庭園でもつくらない限り庭がないので、土や植物と接することができません。

二つ目は、階段の上り下りが多くて億劫なことです。玄関が1階にあるため、買い物の搬入に手間取ったり、来客や宅配便がある度に階段を下りなけ

02. 逆転プランのメリット

メリット

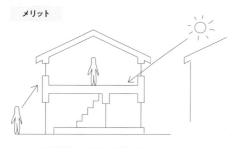

・近隣建物の日影の影響を受けにくいので、季節を問わずLDKの日当りが良好である
・道路からの視線が気にならない

・1階は壁が多いので耐震性が高まる。勾配天井などの立体的・開放的な空間がつくれる
・2階キッチンは内装に木を使うことができる

・寝室と水廻りが自然に1階にまとまるので、総2階にしてもリビングに余裕が生まれる

第4章　平屋と2階建ての間取り　179

ればなりません。また、生ゴミなどをバルコニーに仮置きすることはできますが、外階段でもない限り、最終的には室内を通って玄関から出すしかありません。家事は毎日のことですので、イメージトレーニングをしておきましょう。

三つ目は、寝室や子供室を1階にまとめると、子供がリビングを通らずに自分の部屋に行けてしまうことです。子供が大学生や社会人であれば問題はありませんが、高校生までの子供がいる家族は要注意です。親子関係がしっかりしていれば心配ないとはいえ、思春期の子育てはデリケートなので、この問題を疎かにはできません。間取りで工夫するとすれば、1階に予備室や書斎を移して子供部屋を2階に上げ、リビングから目の届く形にすることです。

最後にして最大のデメリットは、年老いた時のことです。今のお年寄りはお元気ですし、階段の上り下りなどの運動が逆に健康を保つことにもなりますが、いよいよ身体が不自由になった場合は2階リビングが足かせになります。少なくとも、階段に昇降機を設置できるようにしておくことは必要ですし、将来は住宅用エレベーターが入れられるように、上下同じ位置に押入を配置するなどの間取りの工夫があれば、言うことはありません。

一方、逆転プランのメリットはいくつもあります。一つ目はもちろん、リビングが2階にあるので日照・採光を得やすいことです。周りの家が2階建てであれば、南側隣地に接して家を建てない限り、2階の日照・採光は確保できます。南側いっぱいに建てざるを得ない場合でも、上が屋根なので、屋根の一部を違えて高所窓をつくったり、天窓によって採光したりすることもできます。

二つ目は、玄関、寝室、水廻りなどの小さな空間が1階に集まるため、1階の壁が多くなって構造的に強いことです。逆に2階の壁は1階より少なくてもよいので、開放的なリビングにしやすくなります。また、屋根形状を利用した勾配天井や二段天井にすることで、さらに気持ちのよいリビングがつくれます。

三つ目は、道路からの視線が気にならないことです。これは庭や外との繋がりが希薄なことの裏返しなのですが、窓やカーテンを開けていても、通行人から丸見えになることはありません。広めのバルコニーをつくれば、気兼ねなく月見酒を楽しむこともできます。一方、1階にハキダシ窓などの大きな窓を設けず、高所窓や格子付きの窓を多くすれば、防犯的な安心感があります。

四つ目は、キッチンが2階（最上階）にある場合は内装制限がかからないため、ガスコンロを使っても壁や天井に木を張ることができる点です。せっかく一体感のあるLDKにしても、1階だと

リビング・ダイニングとキッチンの天井仕上げが揃えられないことがあります。板張りの天井が好きな方には、最大のメリットになるかもしれません。

逆転プランの場合、1階には個室や水廻りが集まるので、どうしても廊下が必要になりますが、玄関や階段が端にあると廊下が長くなってしまいます。したがって、1階の中央に玄関と階段を設けるのが合理的です。玄関は、道路から近い場所に設けるのが原則ですが、道路面に長方形平面の短辺側が来る場合は、アプローチを延長して長辺側の中央付近（側面中央）に玄関を持ってくるとよいでしょう。廊下が短くなって、面積を有効に使えます。

03. 単純上下逆転プラン（3×5.5間）

2階の標準的な間取りに玄関と土間収納を加えた1階。主寝室と納戸が充実しています

水廻りが2階にありますが、子供室が取れてLDKも広々としています。キッチンは動線の短い横並び型です

子供が3人いるため、上下に部屋を分けていますが、1階のオープンな部屋の分け方がいろいろ考えられます

一人分の子供室は2階にあります。ここを子供の勉強部屋にして、1階にベッドを3台置くこともできそうです

04. コンパクトな逆転プラン（3.5×4間）

2階に水廻りがある場合、水廻りの直下に寝室があると音が気になりますが、予備室は書斎として使うため問題ありません

洗面室に区画型や一室型のトイレを入れることもできますが、トイレを1階だけにしたことは建て主の英断です

1階は3つの居室と玄関で構成されています。建物がコンパクトなので、廊下も短く無駄がありません

LDKがバランスのよい大きさで、PCコーナーも使いやすい位置にあり、理想的な2階リビングです

05. 子供室を2階にした逆転プラン（3×5.5間）

1階に水廻りをまとめ、隣には家事室と、同居する母の部屋も用意しました

キッチンから出られるサービスバルコニーは、2階リビングの欠点を補います

東接道ながら、長いアプローチで玄関と階段を中央に配置した、動線に無駄のない間取りです

子供室が2階にあるので、デメリットの一つは解消されています。子供室は寝室と学習室に分けた造りになっています

06. 1階水廻りの開放的な逆転プラン（2.5×6間）

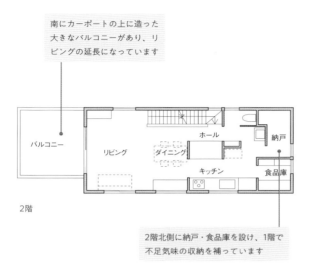

07. 逆転プランの実例 ① 戸塚の家

前面道路が狭く、3方に家が迫る住宅密集地で、生まれ育った家の建て替えです。

トイレは住宅からも使える配置です

2階リビングの弱点である1階子供室にせず、LDKと接する子供室を設けました

英会話教室やリラクゼーションの施術などに活用している多目的室があります

準防火地域で玄関を延焼ラインから外すためと、動線をまとめるために中央からアプローチ

4帖半の大きなバルコニーが、仏壇を置く小さな和室やダイニングの延長に感じられます

多目的室には専用の玄関があり、無垢のフローリングと漆喰壁の空間にゲストをお迎えします

2階はワンルームのような広がりで、奥にスタディコーナーが見えます

ガルバリウム鋼板の白い外壁に、木の「空中デッキ」がアクセントになっています

リビングは小屋組みをあらわした迫力ある空間です。
2階キッチンの天井は板張りが可能です

キッチンに対して横位置になるダイニングは、バルコニーに面した明るい空間です

08. 逆転プランの実例 ② 辻堂の家

南西に家が迫り、庭も十分に取れない敷地のため、2階リビングにした住宅です。

子供の成長に合わせて子供部屋と仕事部屋を1階と2階で入れ替えるため、単に「室」という呼び名にしました

寝室が面する敷地南角に小さい庭をつくりました。西面は隣家が近いので窓は最小限です

2階に水回りをまとめたので、洗濯動線が集約されています

庭が無いので、広めのバルコニーを造ってウッドデッキ代わりにしています

建物を北側に寄せ、南側をできるだけ空けて日当たりを確保しました。グレーの外壁が印象的です

屋根と目隠し格子のある玄関ポーチ

1階は玄関と廊下を軸に各室が並びます

リビングは小上がりにして溜まりをつくりました。隣の部屋は仕事場ですが、子供の成長に応じて子供部屋に変更します

ダイニングの前の広いバルコニーは、外から覗かれにくい高さの塀で囲った、空の下のリビングです

背面に食器家電収納を造り付けた対面キッチン。勝手口はバルコニーへの洗濯動線です

第4章　平屋と2階建ての間取り　187

08

2階の間取り

特殊例だと書いた総2階の家ですが、間取りを考える上ではやりやすさがあります。予算の制約で「総2階」になっている場合は、延床面積を半分にすれば1階と2階の大きさが決まりますし、敷地の制約で「総2階」になっている場合は、建ぺい率で決まる1階に合わせて2階も同じ大きさになります。いずれも初めに面積が決まっているので、とてもスムーズに設計を始められるのです。

では、総2階以外の家はどのように考えればよいでしょう。多くの人は先に1階の間取りを考えて、その後で2階の間取りを考えるかと思いますが、それだと家の形が成り行き任せになってしまいます。そして1階と2階が別々に考えられているので、2階外周の下に柱や梁が入るかも不確定で、構造的には極めて不安定です。

2階建てを考える場合、まずは2階の大きさと形を決める所から設計が始まります。大きさ（面積）は、1章で登場した「間取り係数」を使って、2階の必要面積を算出します。例えば、所要室が主寝室6帖、子供室4帖半×2室とすれば、合計は6＋4.5×2＝15帖です。ほかに納戸、トイレ、吹抜けが必

要だとすれば、係数1.8として、2階床面積は7.5坪×1.8＝13.5坪になります。係数1.6なら12坪、係数2.0なら15坪ですし、主寝室8帖、子供室5帖×2室とすれば、9坪×1.8＝16.2坪と変化します。

3章で家の形について書きましたが、2階の形は矩形（四角形）にするのが原則です。先ほど計上した13.5坪の家であれば、短辺3間×長辺4間半の四角形になります。12坪であれば3間×4間、15坪であれば3間×5間です。16.2坪は半端が出るので数字を改め、16坪にすれば4間×4間、16.5坪にすれば3間×5.5間になります。このように、半間までのグリッド上でつくれる四角形を探し、初めに外形を決めてしまいます。

次に2階の間取りの特徴を見ていきます。1階は道路付けによってカーポートや玄関の位置が決まるので、敷地によって間取りも大きく変わりますが、2階は敷地に接していないので、基本的には方位さえ気を付ければ大丈夫です。もちろん道路側は周りの建物が離れていますし、隣地が公園だったりすれば、2階でもそれを意識することは大切です。ただ、道路が北でも南

01. 2階の大きさを決める

係数1.6

ゆとり面積（坪）：
（6＋4.5＋4.5）／2×1.6＝12

係数1.6の場合、居室以外のスペースは、9尺の押入、トイレ、2帖の吹抜けという最低限必要なスペースだけで、ゆとりはありません

係数1.8

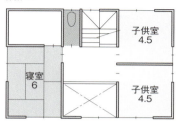

ゆとり面積（坪）：
（6＋4.5＋4.5）／2×1.8＝13.5

係数1.8の場合、居室以外に3帖の納戸、トイレ、3帖の吹抜け、ホールに机を置くスペースがあり、少しゆとりがある間取りです

係数2.0

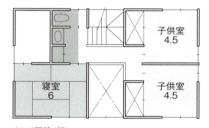

ゆとり面積（坪）：
（6＋4.5＋4.5）／2×2.0＝15

係数2.0の場合、3帖の納戸、3帖の吹抜け、各々の子供室に押入、トイレの前に洗面台や収納が取れるなど、大きなゆとりが生まれます

手順としては、①2階の所要室を列挙し、②各部屋の希望面積を挙げて加算、③ゆとり度を決めて間取り係数（1.6～2.0）をかける
（積算時と同じ）となる。なお、2階には一般に浴室などの水廻りや玄関がないため、係数は1階より小さめにしておくとよい

でも、2階は同じ間取りで通用することが多く、1階ほどには周囲の影響が大きくないという意味です。

　敷地の影響を受けにくいということは、敷地が違っても同じ間取りが使えるということです。実際、無意識のうちに同じパターンを繰り返している場合もあります。それを意識して行うに

は、2階の標準間取りをいくつか用意しておいて、すぐに取り出せるようにするとよいです。次に代表的な2階間取りのパターンを列挙します。

①2つの子供室を南北に並べて東か西に寄せ、反対側に寝室と納戸を南北に並べ、中央北に階段、中央南に吹抜けを配置する形
②上記①で吹抜け不要の場合、中央南に室内物干場やスタディコーナーを配置する形
③寝室、子供室を南側に並べ、北側に階段・納戸・トイレを並べる形
④北側に子供室を並べ、南側に吹抜

第4章　平屋と2階建ての間取り　189

02. 2階外形のバリエーション

◯矩形平面の外枠を決める
◯まずは、梁間3間、梁間3.5間の架構で考える
◯敷地に応じて、梁間4間や梁間2.5間を使う可能性も

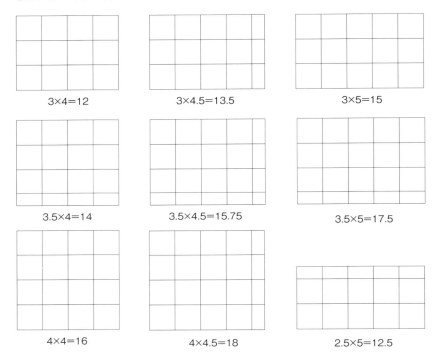

けや共用スペースを配置する形
⑤南側でも東側でもよいが、子供室の間に共用スペースを挟む形

「部屋が北にあるか南にあるか」が気になるかもしれませんが、大切なのは階段と吹抜けの位置です。この2つは1階の間取りと密接に関係しているので、そのバリエーションを多く抱えておけば、それだけ対応力が高くなるという訳です。

2階間取りで最も注意することは、「廊下」を減らすことです。廊下は風通しを阻害し、各部屋を孤立化させる元凶です。しかし2階は個室の集まりなので、ふつうに考えれば廊下ができて当然です。

その廊下を減らすためには、2階の中央から階段を下りる間取りにするとよいのです。折り返し階段の場合は、1坪の階段スペースを北側中央に設け

03. 2階間取りの基本パターン（3×4.5間）

①子供室を東か西で南北に並べる
⇨ 階段を北、吹抜を南に配置

・吹抜けに面したホールは採光・通風の面で申し分なく、廊下がない
・子供室を区画した後も風の通り道を残すことがベター

②子供室を東か西で南北に並べる
⇨ 階段を北、南は共用スペース

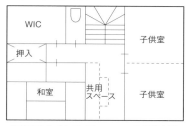

・吹抜けをなくしてバルコニーへの動線を確保。室内物干場にできる
・子供室を区画した後も風の通り道を残すことがベター

③居室をすべて南側に配置する
⇨ 階段は北側、小さな吹抜けを絡めたい

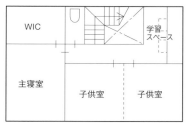

・子供室と学習スペースが一体の空間。階段吹抜けに面した廊下は採光と通風の面で申し分ない
・子供室は引戸。欄間にも引戸があればベター

④子供室を北側に配置する
⇨ 階段が南側の場合は吹抜けと絡める

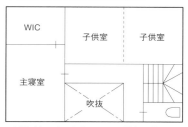

・南側が広く空けられるので、採光や通風面では最も理想的
・北側は安定した採光が得られるので勉強部屋としてはベター

るのが基本です。南北に長い建物であれば、東西の中央になります。南側の中央に設けることはあり得なさそうですが、吹抜けとセットにすれば、その間取りも問題ありません。直進階段の場合は、2階中央に向かって上るように階段を配置すると、1階の端っこから階段を上る間取りになります。総2階の場合は2階のフレーム内だけで考えますが、1階が大きな家の場合、下屋から上り始めて上屋の中央へ達する形もあります。これができれば上級者と言えるでしょう。

次に「廊下」をなくす方法ですが、それは廊下を「広くする」ということです。広くすれば、子供の遊び場、スタディコーナー、洗濯物を畳む場所、室内物干場など、ほかの用途に使える

第4章　平屋と2階建ての間取り　191

04. 2階間取りの基本パターン（3.5×4間）

①子供室を東か西で南北に並べる
⇨ 階段を北、吹抜けを南に配置

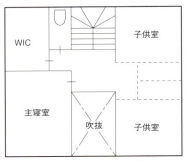

・吹抜けに面したホールは採光・通風の面で申し分なく、廊下がない
・子供室を区画した後も風の通り道を残すことがベター

③居室をすべて南側に配置する
⇨ 階段は北側、小さな吹抜けを絡めたい

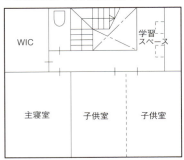

・子供室と学習スペースが一体の空間。階段吹抜けに面した廊下は採光と通風の面で申し分ない
・子供室は引戸。欄間にも引戸があればベター
・5帖の子供室がつくれる

④子供室を北側に配置する
⇨ 階段が南側の場合は吹抜けと絡める

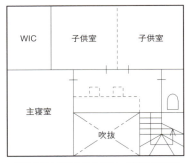

・南側が広く空けられるので、採光や通風面では最も理想的
・北側は安定した採光が得られるので勉強部屋としてはベター

⑤子供室の間に共用スペースを挟む
⇨ 子供室が南か北なら階段は東か西

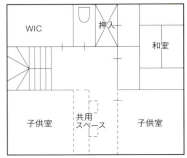

・吹抜けをなくしてバルコニーへの動線を確保。室内物干場にできる
・子供室の間が共用スペースになるため、多目的な使い方が可能

スペースになります。これで動線機能しかない「廊下」は間取りからなくなりました。広げた分だけ余計に面積を使うことにはなりますが、部屋と部屋の中間のスペース、2階と1階をつなぐ

スペースが生まれ、風通しがよくなることはもちろん、空間が広く感じられます。そして家の中に居場所が増え、暮らし方の幅が広がるので、部屋を廊下でつないだ間取りとの差は歴然です。

09

2階直下の間取りを考える

　1章で道路と建物配置について書きましたが、道路以外の周囲の状況も鑑みて、初めに建物を建てる場所を決めます。これが配置です。総2階の家は、直方体の箱を置くだけの簡単な作業ですが、下屋付き2階建ての家は、どのように下屋を足していくかを考えて配置を決めなければなりません。少し複雑な思考が必要ですが、下屋の位置を想定しながら、まずは敷地の中に上屋（2階部分）を配置します。

　この後で1階の間取りを考える際、2階の階段の位置が縛りになってくるので、一度決めた2階をやり直す場合も出てきます。前述したように、2階のバリエーションとは階段のバリエーションでもあるので、寝室や子供室の位置は自由にしておくのが望ましいです。もし建て主から「子供室は南側、夫婦の寝室は西側」といった要望を受けていると、2階の間取りが硬直してしまうので、1階に応じて変化させるのが難しくなります。

　次に、上屋の枠の中で1階の間取りを考えます。家の中心であるリビングやダイニングをレイアウトし、2階の階段を1階に下ろします。上屋の枠の中に水廻りが収まるのか、玄関が入る

のかなど、この時点では様々な可能性があるのでラフにレイアウトします。

　その次に、上屋に入りきらなかった要素、あるいは初めから下屋に収める予定の要素を付加して1階の間取りをつくります。この時、原則として上屋と下屋をまたいで部屋をつくってはいけません。上屋の外周には、屋根の荷重を受ける2階の柱や、2階の床荷重を受ける胴差があるので、構造的には1階外周にも柱があるのがベターです。リビングなどの大空間がまたがっていると、どうしても構造的に無理をすることになります。また、架構を室内に出す場合に構造の境目が分かり、中途半端な見え方になるのもよくありません。

　玄関、浴室、洗面室、トイレなどの1坪、半坪のようなスペースは、1間ピッチに柱が立つので構造には無理がありません。したがって、後述する屋根の面で問題がなければ、上屋と下屋にまたがってもよしとします。

第4章　平屋と2階建ての間取り　193

01. 折返し階段（3間×4間半／総2階）

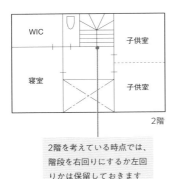

2階

2階を考えている時点では、階段を右回りにするか左回りかは保留しておきます

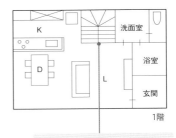

1階

1階で階段下をどちらから使うか、あるいは回り方が限定される間取りになったら、最終判断します

02. 矩折れ階段（3間×4間半／総2階）

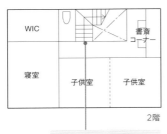

2階

矩折れ階段や直進階段は、下り口が2階中央付近になるように考えておきます

1階

階段の上り口が中央から離れた位置に来るため、階段を合わせるための試行錯誤が必要になります

03. 直進階段（2間半×4間半）

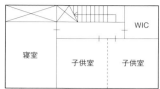

幅の狭い建物で折返し階段は禁物です。直進階段から始めて、矩折れ階段に軟着陸するイメージです

04. 南側の矩折れ階段（3間半×4間）

部屋を北側に並べる場合、南側の階段は吹抜けと絡めるのが理想的です

05. 逆転プランの階段と玄関（2間×4間半／総2階）

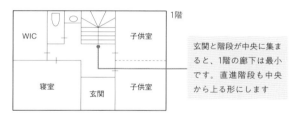

玄関と階段が中央に集まると、1階の廊下は最小です。直進階段も中央から上る形にします

道路や敷地の状況で、必ずしも中央玄関にはなりませんが、廊下を短くする意識は必要です

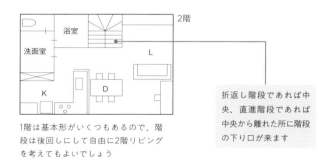

折返し階段であれば中央、直進階段であれば中央から離れた所に階段の下り口が来ます

1階は基本形がいくつもあるので、階段は後回しにして自由に2階リビングを考えてもよいでしょう

第4章　平屋と2階建ての間取り　195

06. 上屋1階部分の間取り

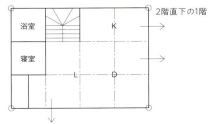

2階で決めた階段が1階の縛りになります。1階の間取りが上手くいかなければ、2階をやり直します

階段を1階に下ろし、方位や敷地に合わせてラフに空間を割り当てます。2階トイレの位置にも注意します

直下に入らない部分は、敷地との関係や屋根の形と向きを意識しながら考えます

07. 大空間が2階外周部をまたぐ間取り

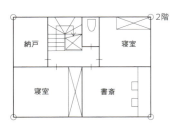

間取りを1階から考える人は、2階の構造を意識することがなく、外周部をまたぐのも必然でしょう

大きな空間をつくりたいということで、2階の外周部分を気にせず、リビング・ダイニングを拡張した間取りです

10 下屋を加えていく

　1階の間取りは、2階とは違って外部との繋がりがとても重要です。四角い総2階の家であれば、最初に置いた四角形の配置がすべてですが、下屋のある家は、外部との関係性を下屋でコントロールすることができます。例えば、隣家や道路からの視線を遮るように下屋を出せば、上屋と下屋とで囲われたスペースには落ち着きが生まれます。ここにウッドデッキを造り、室内とデッキを空間的に繋げればアウトドアリビングの誕生です。また、道路やカーポートの位置に合わせて玄関や勝手口を下屋として出せば、アプローチ

01. 凹凸のある1階平面と敷地の余白　その1

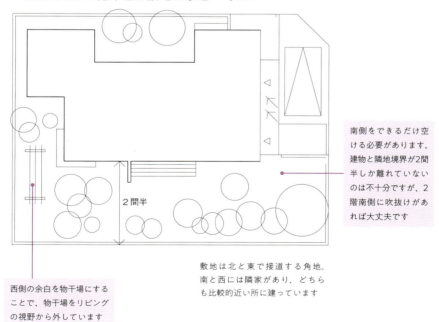

南側をできるだけ空ける必要があります。建物と隣地境界が2間半しか離れていないのは不十分ですが、2階南側に吹抜けがあれば大丈夫です

敷地は北と東で接道する角地。南と西には隣家があり、どちらも比較的近い所に建っています

西側の余白を物干場にすることで、物干場をリビングの視野から外しています

第4章　平屋と2階建ての間取り　197

と主庭やアプローチとサービスヤード（勝手口回り）をそれぞれ区切ることができます。

このように、下屋を設けて平面上の凹凸をつくることによって、切り取られた敷地の空白に意味を与えることができます。併せて、室内と外部との接点が増えるので、内外の空間的連続性が高くなります。逆に矩形平面の場合は、内と外の境界が直線で明確に区切られてしまうので、このような連続性は乏しくなります。

また、総2階の建物、特に四角い建物は強い形態をしているので、周囲から浮いた存在になりがちです。建物を敷地に馴染ませるためには、2階を小さくして、1階にできるだけ凹凸をつくるのが望ましいと言えます。

では、下屋のパターンをいくつか見てみましょう。一つ目は、玄関及び付属の収納室を下屋にする形です。最大のメリットは、玄関先にポーチ柱を立てたり、袖壁を出したりすることで、無理なく屋根のある玄関ポーチをつく

02. 凹凸のある1階平面と敷地の余白　その2

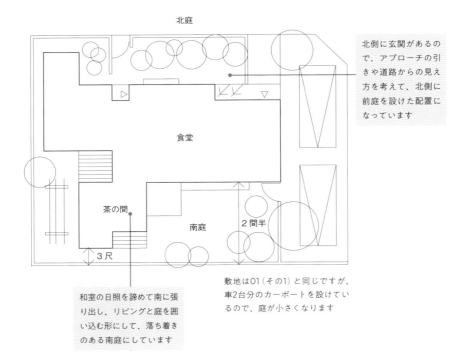

北側に玄関があるので、アプローチの引きや道路からの見え方を考えて、北側に前庭を設けた配置になっています

和室の日照を諦めて南に張り出し、リビングと庭を囲い込む形にして、落ち着きのある南庭にしています

敷地は01（その1）と同じですが、車2台分のカーポートを設けているので、庭が小さくなります

れることです。玄関ドアの上に、おまけのような庇しか付いていない家を見かけますが、あれはいただけません。また、玄関ポーチと車庫の屋根を一体に計画することもできるので、車庫との統一感が図れます。

二つ目は水廻りを下屋にする形です。上屋の内側を広くLDKに使いたい場合は、水廻り（浴室・洗面・トイレ）を外に出すことで、2.5～2坪の面積をかせぐことができます。設備機器は寿命も短いため、下屋にしておけば大規模なリフォームがしやすい、というメリットもあります。

三つ目は和室を下屋にする形です。LDKを連続した空間にする一方、和室は付かず離れずの位置にする場合が多いため、下屋として前や横に出すとよい距離感になります。上屋の外周部と接するため、原則として開口は1間幅にすべきですが、構造的に無理がなければ9尺に広げてもよいでしょう。た

03. 玄関・水廻りを別々の下屋にした間取り

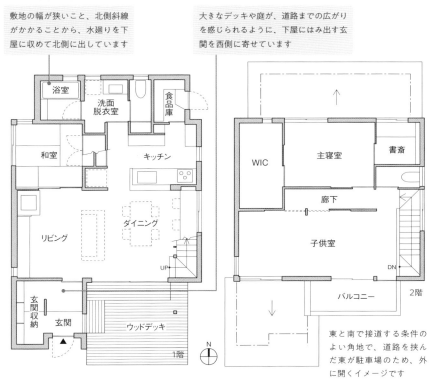

だし和室を南側に出した場合は、上屋の1階南面が開口部だらけになってしまうので注意が必要です。この付かず離れずの関係は、特にお年寄りのリビングや寝室として使う場合に最適です。

四つ目はリビング・ダイニング全体を下屋にする形です。最大のメリットは、LDが平屋になるため、平屋の特徴を活かした開放感のある空間にできることです。そして上屋に対して下屋の面積、存在感が大きくなるので、バランスの取れた外観をつくることができます。また、リビングのみ、あるいはダイニングのみを下屋にすることもできます。他空間との一体感は薄れる可能性がありますが、下屋のリビングだけを勾配天井にするとか、囲われた落ち着きのある空間にするなどの変化を与えられます。

04. 玄関・水廻りを1つの下屋にした間取り

東南に庭を残して大きなデッキをつくるため、玄関と水廻りを一つにまとめて南西に張り出しました

西側のカーポートが造成で決まっており、縦に2台分の余白を西側に空けました

05. 和室＋玄関・水廻りを下屋にした間取り

北と南で接道していますが、南は交通量が多く北道路からアクセスする敷地です

東隣地にコンビニエンスストアがあるため、庭をガードするように南東側に寄せて和室を出しています

北西角に玄関と水廻りを1つにまとめました。道路から見える玄関周辺の下屋の構成もきれいです

第4章　平屋と2階建ての間取り　201

06. リビング・ダイニングを下屋にした間取り

北側に昔から建っている隣家に、大きな影を落とさないように配慮して、上屋を道路と直角の縦長に配置しています

小屋組を露すなど、立体的な天井をつくれることが、リビング・ダイニングを下屋にする醍醐味です

下屋の屋根の注意点

陸屋根の家であれば、間取りを考えるだけでオッケーですが、勾配屋根をもつ下屋は、その屋根のつくり方がとても重要になります。

まずは、差し掛け屋根と上屋の関係です。「差し掛け屋根」とは上屋の壁面と下屋の桁が並行で、垂木が上屋の壁に直行する形の屋根です。平屋の項でも述べたように、建物の奥行きと屋根勾配によって屋根の高さが変わるため、下屋の奥行き6尺×4寸勾配であれば、図のように屋根は桁から728mm高くなり、屋根の厚みも考えると約880mm上がります。奥行き9尺×4寸勾配なら、桁から1,092mm高くなって屋根は約1,240mm上がります。奥行き2間×4寸勾配では、桁から1,456mm、屋根は約1,600mm上がります。下屋の桁高が2階床より350mm低ければ、屋根は2階床から1,250mmの高さになり、2階窓は床から1,450mm以上の高さに設けなければなりません。採光用の高窓としては問題ありませんが、一般的な高さではないので注意が必要です。

また、下屋の奥行き9尺×5寸勾配の場合は、桁から1,365mm高くなって屋根は約1,510mm上がります。逆に、奥行き9尺×3寸勾配の場合は、桁から819mm高くなって屋根は約970mm上がるに止まります。このように、屋根勾配を緩くすれば2階の窓に影響が出にくいのですが、2階と1階で屋根勾配を変えて対応するのはよくありません。まして、上屋と下屋で屋根材や葺き方を変えて「逃げる」のは愚の骨頂です。一つの家で屋根勾配は統一すべきなので、このように、下屋（差し掛け屋根）の奥行きが大きくなる場合、あるいは屋根勾配を急にしたい場合は、2階の窓を塞ぐような大きな屋根になってしまうことに注意が必要です。

次に、下屋と上屋の取り合いについてですが、これは家の形を整える上で非常に重要なポイントです。間取りだけを見ると、上屋と下屋の外壁ラインを一直線に揃えるのが良さそうに見えますが、それは間違いです。外観的には、2階まである大きな壁が、同一面上で途中から半分の高さになる姿は不格好です。外観の美しさで言えば、同一面ではなく、下屋を手前か奥にずらして面を変えたほうが綺麗です。

また、この下屋が差し掛け屋根の場合、上屋と下屋の外壁が揃っていると、下屋のケラバがはみ出して「招き」ができます。金属屋根であれば、

第4章　平屋と2階建ての間取り　203

01. さしかけ屋根と上屋の関係

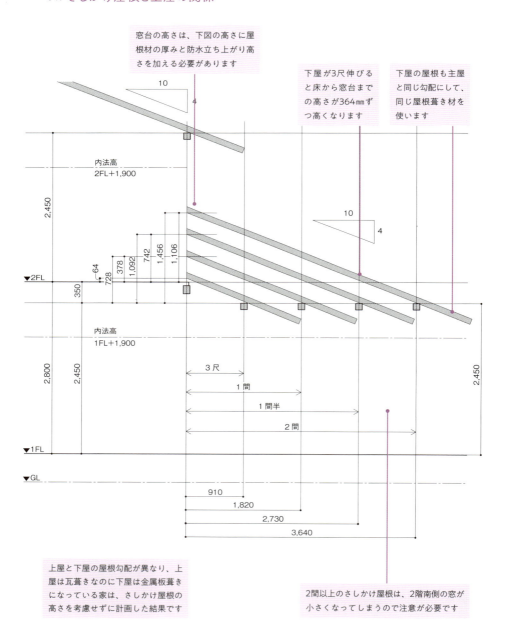

片流れのように上がりっ端をぶつ切りしてしまう乱暴な納まりも不可能ではありませんが、瓦屋根の場合、そんな納まりにはできません。「招き」をつくるか、えぶり板（絵振板）で屋根の端部を押さえるか、袖壁（卯建壁）を出して屋根を納める必要があります。できれば、いずれの納まりも避けたいので、上屋からケラバがはみ出さない間取りを考えます。

その一つは、下屋の外壁を上屋から3尺内側に入れることです。そうすれば、ケラバの先が上屋の外壁ラインになるので、屋根がはみ出しません。間取りに対する影響も最小限だと思うので、ぜひ覚えて活用してください。

もう一つは、下屋の外壁を上屋から外に出すことで、しっかり妻面を見せる形にします。上屋からのはみ出しが3尺しかないと貧弱な切妻屋根になってしまうので、1間以上の出が欲しいところです。また、下屋（差し掛け屋根部分）の奥行きが1間なら、棟を挟んで1間（合わせて2間）の奥行きを取って、シンメトリーの切妻屋根にするのが基本です。

もし、上屋と下屋の壁が揃ってしまった場合は、屋根の向きを変えて棟を直行させるとよいでしょう。「招き」を回避することができますし、軒先の水平線が上屋と下屋を切ってくれるので、差し掛け屋根に比べて見た目もマシになります。ただし、下屋の幅や奥行きが小さい（3尺や1間程度）場合は、切妻屋根が貧弱に見えます。差し掛け屋根を止めて棟を直行させるのは、下屋の奥行きが9尺以上ある場合に向いていますし、前述の2階窓への影響も抑えられるので、一石二鳥です。

上屋の東側に下屋があるため、下屋の棟は2階床から約1,000mmの高さになっています

第4章　平屋と2階建ての間取り

02. 上屋との取り合いをかわす下屋の納め方

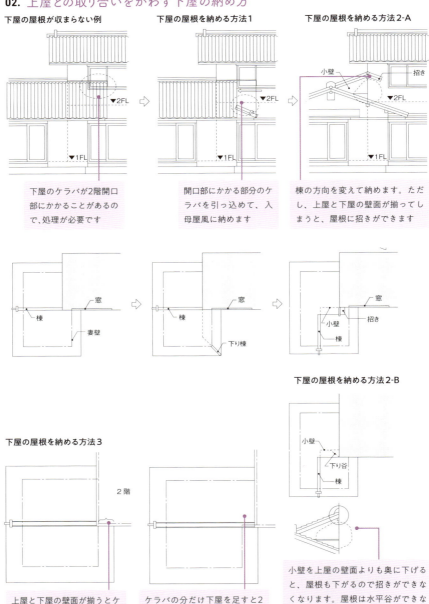

あとがき

　本書はは2018年3月に初版が刊行されましたが、増刷のタイミングで内容の改訂と本のサイズ・デザインが大きく変更されたので、新しい本をつくったような感覚です。初版の時は1年がかりの執筆と校正作業で非常に大変な思いをしましたが、企画をしてくださった建築知識ビルダーズ編集部の山崎潤市氏の励ましも受けて、刊行に漕ぎつけることができました。今回は作業量こそ少なかったものの、仕事の合間を縫っての作業は1年がかりとなってしまい、再び山崎氏にはお世話になりました。この場を借りて改めて感謝申し上げます。

　神奈川エコハウスは、私が加入する前から吉田桂二さんとの縁が深く、その教えを取り入れ、地域の風土や伝統を大切にした、健康素材による美しい家づくりを行っています。師匠の教えを実践するのに相応しい環境を与えられたことは非常に幸せで、入社以来150棟を超える住宅を設計してきました。この本で多くの事例を紹介することができたのも、当社で家を建ててくださった大勢の方々のお陰です。建て主の皆さまはもちろん、設計や施工管理で家づくりのサポートをしてくれた当社スタッフの一人一人に、心よりお礼申し上げます。

2025年7月　岸　未希亜

著者プロフィール

岸 未希亜（きし　みきあ）

1971年横浜市生まれ。一級建築士。'94年早稲田大学理工学部建築学科卒業、'96年同大大学院修士課程修了（専攻は建築史）。'96〜2009年連合設計社市谷建築事務所に在籍。故・吉田桂二氏に師事し、同氏が主宰する「吉田桂二の木造建築学校」では講師を務め、全国から集まる「プロ」の生徒に住宅設計の手ほどきを行う。'09年神奈川エコハウス株式会社に入社し、現在は同社取締役。主に東京・神奈川で家づくりに従事する傍ら、関連法人であるアースデザインオフィス所長を務め、全国的に住宅の設計や講演・セミナーなどを行っている。主な著書に「間取りと架構の教科書」（吉田桂二と共著、エクスナレッジ刊）

写真

山田新治郎（下記を除くすべて）
相原功（66p-02/98p-07左）
伊藤真司（54p-08/66p-03/78p-09/100p-10/125p-10/143p-02/165p中央左・左下）
川辺明伸（51p-02/58p-05/107p-02）
岩為（45p/71p-05/148p-04/154p/163p中央左・中央右・下/165p左上・右上/177p左上）
齋藤雄輝（150p-08）、志和達彦（29p右/65p-01）、ToLoLo studio（50p-10/110p-03/136p-04）
著者（7〜12p/27p/28〜30p各左/51p-01/54p-07/60p左/70p-03/84p-02/86p-04/98p-07右/100p-11/110p-02/117p〜123p/124p-05・08/125p-09/132p/136p-06/150p-07/155p/156p〜158p/163p左上/165右下）
その他神奈川エコハウス所有写真など

間取りの学校

2025年7月1日　初版第1刷発行

発行者　三輪浩之
発行所　株式会社エクスナレッジ
　　　　　〒106-0032 東京都港区六本木7-2-26
　　　　　https://www.xknowledge.co.jp/

問合せ先
編集　Tel 03-3403-1381　Fax 03-3403-1345
　　　　info@xknowledge.co.jp
販売　Tel 03-3403-1321　Fax 03-3403-1829

落丁・乱丁は販売部にてお取り替え致します。
本誌掲載記事（本文、図表、イラストなど）を当社および著作
権者の承諾なしに無断で転載（翻訳、複写、データベースへの
入力、インターネットでの掲載など）することを禁じます。